外事故，躲过了一顿拳脚。

我真是愧对王老师安排的军体委员的职务，小学前三年，差不多拿出三分之一的时间躺在医院里，感冒、发烧、腹泻、扁桃体炎、骨折，轮换着得。一段时间，我闻到枕头上的来苏水味，像嗅到亲人的气息。

王老师教语文，也是班主任。

我的第一篇作文被王老师大加赞赏，她尤其欣赏这一句：运动员像离弦的箭一样……

后来才知道，这不过是个套路而已。

但当时如果不是赞扬，而是一顿批评呢?孩子的自信心通常是被夸奖出来的。

按说王老师已经做得相当完美了，母亲却还是提出更高要求。她对老师说，这个孩子胆小，如果做错了事，不用直接批评他，批评他附近的人，就可以把他震住。

这种作法的直接后果是，每天都觉得老师含沙射影，指桑骂槐。

3 年，弹指间过去了。一辆卡车拉着我们全家进了城，到了丰台三小一报到，还是个女王老师。

班上多是铁路工人的子弟，父母工作忙，孩子教育全扔给老师。班上有几员闹将折腾起来，我才觉得农村学校真是片净土。

六三年出生的这批，就上学而言，没什么可夸耀的，没赶上“黄河之滨，聚集着一群中华民族优秀的子孙”；没赶上“青春万岁，所有的日子都来吧”；没赶上“广阔天地，大有作为”和“阳光灿烂的日子”，“四人帮”还没起劲耽误我们，自己就被粉碎了。

挺顺的。

运动留给我们的最深印象就是评《水浒》、批宋江和反击“右”倾翻案风。评《水浒》对我们来说就是听故事，智取生辰纲，林冲雪夜上梁山，三打祝家庄，弄得我们天天跟老师打听，什么时候接着批啊?至于反击“右”倾翻案风，前两天我还翻到了一位姓桑的同学写的“反诗”：

去年七八九三个月，
翻案风刮得猛烈又猖狂，
他们大喊大叫要翻案，
把矛头直指党中央，
什么这块钢，那块钢
就是不要阶级斗争这块钢
…………

批判任务布置下来，我们3人战斗小组马上回家取出报纸、墨汁开始刷大字报。第一次执笔是老蛋，写的实在不怎么样，我看不过去，重新刷了一遍。等我们夹着大字报赶回学校时，已经是铺天盖地，无处可贴了。多数大字报除了场面上的话，矛头直指个人，大家都明白，运动是铲除异己的最好机会，一个人在政治上闪了腰，肯定会终生残废。

大人们这时全没了平日的温和，都拉得下脸来。

忽然，掌声响起，一位后进生的家长拎着大字报，声嘶力竭地控诉老师对她孩子的迫害，“亲不亲，阶级分，不学ABC，照样干革命”。

看着大字报无处可贴，这位家长一脸茫然，于是，人们怂恿她糊第二层。在恶作剧般的掌声和欢呼声里，她贴上大字报，大家拥挤着去看。我说不清那时的感觉，只是看到被批的不是王老师，长出了一口气。

千里之堤，溃于蚁穴。蚂蚁虽小不可小看。我从小爱出风头，长大常做恶梦，多少回小小年纪就差点被人当枪使。年龄小固然可以是个挡箭牌，但心灵的不安依然会伴随你一生。

史国良就是这样。

小学三年级他揭发老师申世恩在课堂上说“林彪就是变色龙”。从此，申老师受尽屈辱。

“我去看老师时，她正站在厕所的蛆水里写检查，胳膊上露出伤痕，腿都泡白了。我递给老师一个西红柿，申老师说，真好，这是我今年吃的第一个西红柿，老师最爱吃西红柿了……”

2000年3月的一天，在《实话实说》的录制现场，一米八多的史国良蹍在沙发里，像孩子一样哭着。

我说，我们认识一下申老师吧。

大屏幕上，是申老师微笑的照片，从年轻时她就微笑着，一直到老，头发花白，还是这样微笑着。后来，申老师走出来了，看到衣着朴素、神态安然的申老师，大家都哭了。

34年过去了，史国良终于可以亲口对老师说一声，对不起，老师。

我们呢？我们有史国良这样一份歉意吗？或许我们没有亲手伤害过谁，或许是我们一直躲避着良心的追问，或许我们从来就不曾在意。

那么，历史难免会重演，我们和我们的后代也许会在另一出悲剧中扮演重要角色。

王老师教了我一年，移交给下一任老师时，她的评语是，该生至今未发现有任何缺点。

这为下一任老师修理我，留下了把柄。

这位年轻力壮的女老师一接手，就咬着牙根对我说，听说你红得发紫，这回我给你正正颜色。

史国良在哭

申老师也在哭

我倒也配合，大概是到了发育的年龄，我整天想入非非，经常盯着黑板发愣，数学老师把教鞭指向右边又指向左边，全班同学的头都左右摇摆，只有我岿然不动，于是他掰了一小段粉笔，准确无误地砸在我脸上。

数学鲁老师说，你把全班的脸都丢尽了。

嗷，全班一片欢呼，几个后进生张开双臂，欢迎我加入他们的队伍。

从此我数学成绩一落千丈，患上数学恐惧症。

高考结束,我的第一个念头是,从此再不和数学打交道了。

38 岁生日前一天，我从恶梦中醒来，心狂跳不止，刚才又梦见数学考试了，水池有一个进水管，5 小时可注满，池底有一个出水管，8 小时可以放完满池的水。如果同时打开进水管和出水管，那么多少小时可以把空池注满?

呸，神经吧，你到底想注水还是想放水?

有一天我去自由市场买西瓜，人们用手指指点点，这不是《实话实说》吗，我停在一个西瓜摊前，小贩乐得眉开眼笑，崔哥，我给你挑一个大的，一共是 7 斤 6 两 4，一斤是 1 块 1 毛 5，崔哥，你说是多少钱?

我忽然失去控制，大吼一声，少费话!

抱歉!

对我来说，数学是疮疤，数学是泪痕，数学是老寒腿，数学是类风湿，数学是股骨头坏死，数学是心肌缺血，数学是中风……

当数学是灾难时，它什么都是，就不是数学。

所以我请求各位师长手下留情，您不经意的一句话、一个举动或许会了断学生的一门心思，让他的生命走廊中少开一扇窗户。

高一时，又迎来一个王老师，男性，戴眼镜，教语文。

我的作文这时正赶上创作高峰，是才思喷涌的阶段。他一接手，就布置一个题目，每人一篇作文。

作文交上去，两天以后迎来了讲评。

他把作文分成三摞。他说，这部分同学有潜力，但不成形，第二部分要抓紧，差得很多。然后他抓起第三摞的第一本，推了一下眼镜，谁叫崔永元?

我站了起来。

他把作文本往讲台上一放，这写得根本不沾边。

我心一沉，数学已经完了，这回是语文，以后做学问是没戏了，就剩下做人了。

王老师说，说崔永元差是有根据的，小小年纪就沾上了八股，这写到哪天算一站。

其实，我只不过是挨了当头炮，以后班上的写作骨干轮流被收拾了一遍。

他脾气也大。

走进教室，看到上一堂课的教具——地球模型还放在讲台上，就抄起来从窗户扔出去，掸着手说，我上课不用这个。

看见上一节课的黑板没擦，就说，幸亏你们眼睛好。于是拿起红粉笔直接写在白粉笔字上。

有一次他走到黑板前正要写，顿了一下，说，擦了怪可惜的，练练改病句吧。黑板上抄着音乐课刚学的一首歌：

> 在那美丽富饶的西沙岛上，
> 是我祖祖辈辈生活的地方……

严格要求，果然奏效，往后同学的作文，常有几篇让人觉得耳目一新。

我的成绩也从差和中，慢慢地有了良⁻。

成年以后，我想起此事，总是从正面肯定王老师的教学思路，文无定法，能随机应变，不落窠臼，才可能出上品。高一时，他出手一闷棍，对我有悬崖勒马的警示。

当然，方法上还有可商榷之处。

比起来，班主任李秉国老师，工作方法更讲究些。我写过一篇《三次撒谎》，附在后面，里面详细记述了他对我的帮助，我终生不忘。

那时候，我们喜欢打篮球，课间10分钟，也分成两拨，玩得热火朝天。朱宏挺胖，出汗最多。上课后前10分钟主要是擦汗，什么也听不进去。

老师们因此提出批评，但是不奏效。

一天放学后，李老师换上鞋，和我们直奔球场。

这回汗出透了，一边洗，李老师一边说，这多痛快，玩球上课两不误。

从此，课间不再打篮球了。

元旦到了，校领导挨个教室转一圈，说些不咸不淡的话，送走校领导,李老师就拉上窗帘,来,我教你们华尔兹。

他是朝鲜族，能歌善舞。

一二三，二二三，嘣嚓嚓，我们就这样进入了艺术的又一境界。

当时一个男的专搂一个女的跳舞还被禁止，可以公开跳的只有手拉着手的《青年友谊圆舞曲》。

传说袁老师和人跳三步了，是我们一个同学踩着两层桌子从门上玻璃窗侦察到的。所以我们敲山震虎，春心萌动地要袁老师教我们。

元旦晚会热闹非凡,郝明哲、武文辉的相声《猜地名》大放异彩,按说谜底里有的字,谜面上不该有,可他俩不论规矩。

“肚皮上盖大印——印度

粥不热就喝——温州”

他俩这么说,大家就这么乐。我当时心中忿忿不平,因为这之前我和宋金山合说的相声中规中矩,却反应平平。

20年后重新见面,郝明哲、武文辉一个倒药一个倒物资都发了,嗐,这年头是只看结果不重过程,不按规矩出牌总能领先一步。

李老师的历史教得好,用尽浑身解数,数字,色彩,位置,按照不同的路数,同样的史实教上3遍,这有别于按页码只教一遍的方法,他成功了,他被评为全国优秀教师,我们也拿到了高考历史的高分。

李老师,袁老师等携手把我们送进了大学。

大学里,阎老师接手。

大学的班主任和中学不一样,理论上是推行自我管理,实际上就是放羊。到后来,阎老师想管的时候,局面已经失控,烽烟四起,诸侯割据。

阎老师手足无措,开全校大会我们都躲在宿舍不去,听到他在外面敲门,我们一起捏着嗓子说,没人。气得他一蹿上了窗台,从窗户翻了进来,一把揭开宋健的被窝,宋健还用刚学的一点支离破碎的法律知识抵赖:你私闯民宅!

4年就这么酣战着。

毕业晚会上,阎老师说,4年了,尽管我们有很多不愉快,但毕竟在一起呆了4年,希望大家能忘掉不愉快,希望大家在自己的工作岗位上顺利!

那一刻,同学们停止了喧闹,静静地听着。

这一刻的沉静或许就是对老师辛苦4年最高的褒奖。

师者，所以传道，授业，解惑也。

当老师不容易，能解惑才是最高境界。社会上有名师培养出的高徒，揣着一肚子学问，直奔邪路，差就差在最后一课——没学做人。

一晃，10年过去了。1991年，我们重聚广播学院。班长说，咱们让阎老师再讲几句话吧，这回，发自内心的掌声，热烈而响亮。

我看到阎老师的眼睛湿润了。

“同学们，我想和你们说，上周，我刚查清自己的身世，我的父母是日本人，我是日本遗孤。现在，我在日本的亲人找到了，很快我要去日本定居，希望我们的友谊继续下去。大家都知道我的中文名字叫阎庆文，现在请大家记住我的日本名字宫崎文清。”

“宫崎君，辛苦了!”

我们欢呼起来。

这是毕业10年聚会时和老师们的合影。
第一排最右边的就是阎庆文老师——日本人宫崎文清。
戴墨镜的是我，那时还没出名,，可见戴墨镜是个习惯。

附：

三次撒谎

父亲给我起的名字不算好，因为拗口所以不好记。以至于我的名字在电视屏幕上出现了数百次，还是没有多少人记得，人们习惯喊我“实话实说”。

这便又多了层压力，实话实说就意味着不撒谎，可谁又没撒过谎呢。专家说，如果有人告诉你，他从未撒过谎，那他就正在撒谎。

但“实话实说”成了你的别称，对你的要求就会与众不同，就像吃肉，本不是大事，可你一边做和尚一边吃肉就格外不行，这关乎职业道德。“实话实说”爱撒谎，非上小报头条不可。

人不是生来就会撒谎，该撒时，就撒了，很有些无师自通的味道，但多少总会有些原因。

先承认，我曾无数次撒谎，大部分撒完就完，不去记它，有几次却是刻骨铭心。

上小学四年级，一天下午上学路上，秋风拂起些灰尘，远远地，看见柏油路上有一团白色，约摸有几十米远。几位同学一边走，一边猜测是白纸、风筝、白布什么的。走近后，我眼尖手快，看清是纱巾，便捡了起来。那是很不错的一块纱巾，那个时代的奢侈品，它在几位同学手里传过后，又传回到我的手中。到了学校，亲手交给老师，照例作为拾金不昧者受到表扬。说实话，我那时是班级和学校都数得上的好学生，受表扬是家常便饭，这次表扬也没放在心上，谁知竟埋下了祸根。

傍晚放学，路上小玩一阵轻松走进家门，发现母亲表情严肃坐在家中。

对话大致如此：

纱巾谁捡的？

我捡的。

当时有别人吗？

有。

几个人？

3个。

那怎么说是你捡的？

我先看见的。

你撒谎！……

我只记得母亲吼了这一句，便手执笤帚扑过来，劈头盖脸打起来。

照片里的花草都是自家种的。抱的猫是自家养的。这是实话，不是撒谎。

我家兄妹4人，我最小，父亲是工程兵，逢山劈路，遇水搭桥，经常三过家门而不入，教养孩子的重任就落在母亲一人身上，加上我们4人是大错不犯，小错不断，说服教育虽可治本，但见效甚慢，母亲便常常急症下猛药，打为上策。意在伤其筋骨以触之灵魂。

笤帚被打散了，母亲也歇歇手。顺便开始第二轮问询。

为什么撒谎?

……

为什么说是自己捡的?

……

说!

我觉得就是我捡的。

你觉得，别人都看不见，就你能看见，撒谎是品质问题，从小品质不好，长大就得蹲监狱，你知道吗?

知道。

知道为什么还撒谎?

我没撒谎。

于是，第二轮痛打开始了。

晚上，后背火辣辣的，躺不下便趴着，趴着难以入睡便想，第一，以后遇到类似情况躲着，第二查清谁告的密，断绝和他的一切关系。

印象中好像第二天还发了高烧。

母亲功劳很大，她学问不高，也未必懂得多少做人之道，但她以一种朴素的判断来决定对孩子的要求标准，甚至不惜用强硬手段制止孩子们有损高尚品质的行径。多少年以后，我和哥哥姐姐相继工作，得到的共同评价是善良，老实，还有些窝囊。虽都默默无闻，无大成就，但兄弟姐妹间一直互相信任，互相关照，只一份融洽就让许多家庭羡慕。

转眼间升入初中，“四人帮”也粉碎了，学习成了一门正业。那时似乎全国都在补课，既补文化，也补见识，恢复上映老电影。

从开始我就迷电影，特别是老电影。一天晚上要上演朝鲜电影《火车司机的儿子》，我们在露天操场摆好板凳占了地方，谁知天有不测风云，忽然大雨倾盆，人们四散回家，电影队也收起了机器。

回家洗洗躺在床上，懊丧中，昏昏欲睡。不久雨过天晴。眼看星星月亮挂在天上，楚楚动人，于是猜想，会不会继续放电影。于是缠着母亲去探听一下，母亲同意后，我几乎是飞到一公里以外的操场，果然，银幕又挂了起来，于是又飞速回家，一家人穿衣起床，欢天喜地去看电影。

第二次撒谎便和电影有关。那天下午放学时，部队的地下车库正在联映老电影，同学提议进去看看。哪知一看，便被磁石般吸引。正在放映的动画片《大闹天宫》，线条优美，人物生动，音乐动听，故事新奇，没有不看完的道理。紧接着演的是苏联电影《海底擒谍》，这是我第一次看间谍片，扣人心弦的情节，早让我忘记了时间。第三部是国产电影《无名岛》，开演时，天已经很晚，看完片名我就挤出人群，边走边想，回家晚了怎么跟母亲交待？

一脸的慌张和根本无法自圆其说的借口，被母亲一眼识破，照例一顿痛打。

但我并不怨恨母亲。

有人看过这张照片说，老撒谎为什么还一脸正气？

用现在的教育观念去衡量那时父母的做法是不公平的，我一直感受到母亲的善良、正直，以及由母爱而生发的简单、粗暴。这一切的初衷和结果都是好的。

前两天，电影台播出《无名岛》，我放下手中诸多事情，神情专注地看了一遍。其间，不满两岁、不谙世事的女儿不停地捣乱，我没有责怪她一句。电影不算精彩，不必强求女儿去看。我问自己，将来的某一天，知道女儿撒谎了，我该怎么办？

高中二年级，已进入高考前夕的冲刺阶段(那时没有高三)，我又一次因电影而撒谎，该死的电影！那天电影院上映新片《基督山恩仇记》，我刚刚读过大仲马的原著《基督山伯爵》，深为其中的爱情和阴森的孤岛监狱痴迷，班上几位文学青年亦有同感，于是相约逃课去看电影。世上没有不透风的墙，事情最终败露。

几天以后的一个下午，班主任李秉国把我叫出教室，手里拿了张电影票。

你去看电影吧，新片《基督山恩仇记》。

……

你去吧。

可还得上课呢？

没关系，下午的历史课晚上回来我给你补。

我拿着电影票茫然地转了两圈，决定回去上课并承认错误。

李老师说，我知道了。人的一辈子分很多阶段，每个阶段有每个阶段重要的事，你现在最重要的是参加高考。

很多年后，我和李老师聊天谈起这件事，他说，有这回事吗?我怎么不记得。

可我一辈子都不会忘记。

回溯自己的过失需要些勇气，现在，撒弥天大谎还不以为意者大有人在。应该说，撒谎并非小事，一个人撒谎还无碍大局，全国人民都撒谎，这个国家就完了。

挂一漏万说朋友

我的朋友杨长江至今一身侠气

朋友啊，朋友，
你可曾想起了我，
如果你正享受幸福
请你忘记我

——黄集伟《朋友》

那年我8岁，认识了杨长江，年龄相仿，情趣相投，很快就好做一团。我的志向是买齐中华人民共和国出版的所有小人书。在1970年，这个志趣很奢侈。父亲虽然是团政委，无奈家里亲戚太多，每月钱发下来，几家分分就所剩无几。赶上谁生病，顿时捉襟见肘。我亲眼见到母亲搬着几公斤重的模子用力撞击，黑色的塑料粉末沾在她的鼻翼下面，她在家属工厂干着繁重的工作。发工资的日子她的心情最好，上街的最后一站总是新华书店。新出版的小人书散着油墨清香在书架上排列成行，幸运的日子，我也只能买上两本。有时候我要求太高，母亲就翻了脸，常常是高高兴兴上街去，腻腻歪歪回家来。

小人书成了我心中永远的痛，以至于许多年以后，很多场景都让我旧事重温，去看话剧，台上的纨袴子弟说，将来老子有了钱，拿糖葫芦当饭吃，我马上想到，将来老子有了钱，小人书重复着买。

1985年，我领到了第一个月的工资，小人书基本找不到了。

再后来就是疯子一样去搜寻过去的小人书，万水千山走遍，好多人见面都问，是真的吗，为什么？

我的朋友杨长江明察秋毫，发现了我的癖好，于是帮我友情购买。多少次，他红着脸，手伸到母亲的钱包里，然后，紧紧攥着几毛钱，我们飞到新华书店，新书买到手，像英雄雷锋、王杰阅读毛主席著作一样，如饥似渴。

我的朋友杨长江这样提心吊胆做了3年的“案”。

后来，我认真回忆分析“案情”，感到不可思议，屡屡“犯案”，杨长江妈妈会没发现?还是因为知道是为买书，睁一只眼闭一只眼?

她的母亲是老师。

小人书不是四书五经，而我们60年代出生的这拨，知识结构中很大部分由它构成，在这样的结构下，历史的厚重，艺术的奢华，哲学的严谨都极易被通俗，小人书培养了这样一批人，不求繁琐，只爱简单。

小人书虽小，要求却高，百十幅画面讲透一个故事，每幅画的担子都不轻，留给文字的位置只是一指来宽，言简意赅便成了最低标准。

字少，又精彩，铭记的可能性就大些。

出3道题，谁说出书名就算及格，再知道谁画的，就判优秀。

“白骨精两次被悟空识破真相，差点丢命。她满肚子气愤，回到妖洞，一言不发，杀气腾腾地坐着，心里直打主意。”

“狼一心想吃东郭先生，便连忙答应，真的又钻进布袋里去了。”

“盛佳秀歇了一阵气，才觉察靠在别人怀里，顿时羞得满脸通红，飞身就跑。雨生叫：‘慢点跑吧，仔细绊跤呵，啊，谢谢你呀。’佳秀回了一句：‘哪一个要你谢!’飞快不见了。”

这是字书，所以进度缓慢，现在我用小人书继续讲我的朋友杨长江的故事，一共两幅，拿钱买书算一幅，另一幅是我俩在路上走，忽然，有小青皮谩骂我们，这已不是第一次了，3 年来，我们忍气吞声。那天，杨长江忽然甩掉了往日的文弱之气，健步走到几个小无赖面前，手指顶着他们的鼻尖，你再骂一句!

沧海桑田呵，小无赖居然鸦雀无声。

杨长江的手没有放下，你再骂一句! 30 年以后，我清楚地记着这个画面，后来我们走出很远，也没听到一点声响。

这幅画面的文字是：不鸣则已，一鸣惊人。

我们上的是一所农村小学，3 年不长，打下了一个朴实的底子。3 年后我进了城市，30 年后我开始在电视上主持节目，无论怎样打扮，都包不住一股土气，欣赏的人说，真诚，善良。

农村小学的生源当然是农村，我穿一身军装在班上鹤立鸡群。学校的操场就是麦场，高高的麦垛就是我们的乐园，军装沾上土再也不突出，军民一家人一样。

农村小学实行素质教育，一年放 4 个假，分别是寒假、暑假、麦假、秋假。放假回家帮助料理地里的活，听说地富分子偷摘队里的蔬菜，黄瓜地、西红柿地就被我们手执红缨枪护卫起来，后来被队上撤了岗，因为地富分子没我们偷得多。

再说小人书。张捷弄丢了我的书，整个暑假都在打草，晒干了去卖，一个假期，买回一本新书还到我手上。

前年我们一起聚会，席间谈到此处，我很动情，眼圈直发红，张捷却信口说，有这么回事吗?樊玉林搭腔说，怎么没有，我还帮你打草呢。于是，大家一片哄笑，化解了我的尴尬。

樊玉林趁热打铁。

你知道他为什么不卖枣还你书吗?

为什么?

因为他家只有一棵枣树，分为两叉，一枝归他父亲，一枝归他，他的枣都是父亲盯着吃的。

又是一片笑。我忽然悟到,我的很多个性,源头在这里。

农村是个符号，意味着天高地阔。蓝天绿草映得人热情爽快，无拘无束，交往起来，就像吃农家饭，隐隐一股说不出的香味，麦当劳加工不出来。

三年级以后，我进了城，住到一个更大的部队大院，伙伴们清一色的是部队子弟。

我遇到一个强劲的学习对手，王叔军。

我们住在六号院，他家住在军马研究所，虽一墙之隔，却随院名感性理性泾渭分明。他的理科成绩很好，总是在班上遥遥领先，我生来没有陈景润那两下子，看到算式就头痛。物理课上发一个转子，捏着漆包线左缠右绕，转子就是不动，只好硬着头皮求救，王叔军总是接过来，从不当面演示。回家缠了，第二天给我。我拆了再缠，转子静如处子，又去求他，三顾茅庐，他也绝不当面演示。一个转子，在我心里20多年转绕成一团迷雾。

我考上北京广播学院新闻系的时候，王叔军如愿以偿去北京大学地球物理系报到。从此，两人一文一理，两种选择。他天真地以为他认识了一个作家，我却庆幸，有这么个朋友，以后再不用担心地震了。

几天前我们偶遇，见面一个半小时，我拿出半小时给他讲什么叫制片人，然后又花上半个小时，想弄清他的信息工程是想干什么。

有人说，朋友是一面镜子，而这样的朋友就像哈哈镜，你的不足是他的长处，有这样的参照，你就不会轻易沾沾自喜，你永远无法并行的朋友让你知耻而后勇。

小时候，海啸就高我半头。

其实，并行的朋友也会带给你压力。

齐含笑大我一岁，父亲是军医，家里自然医书成架，这也让他有了骄傲的资本。一个下午，太阳晒人，我们钻进了他的小屋，有一搭无一搭地说了几句，他忽然发问，男的女的有什么不同?我答得飞快，女的头发长。于是他仰天大笑，笑声没停，他就捧来医书，你自己看吧。天那，就这么启蒙了。

初中以后就是高中，我每天放学照例去找他玩，他的小名没变，还叫“三儿”，他母亲说出来意思全变了，“三儿明年要考大学，以后你别来找他玩了”。逐客令一下，我一年看不到三儿的影，他上的丰台三中是一所平常又普通的中学,听说他要考北大,有的老师哼着说,也不照照。

考完以后一发榜，他中了北京大学的中文系，这是东大街六号院的第一个大学生。喜讯传来，我陷入一片黑暗之中，因为我母亲下了死命令，效仿三儿，考上大学。当然从这个假期开始就给三儿下了逐客令。母亲们发狠是不计代价的，你有儿子，我也有儿子，你儿子当班干，我儿子第一批入团，你儿子学小提琴，我儿子也要拉，月光下，两人的小提琴像二胡合奏一样，你儿子上大学，我儿子也上大学，你儿子没生儿子，我儿子也生个女儿，拚到这儿，母亲们拼不动了。

上了北大的三儿换成了另一个人，听不懂的话在他嘴里增多了，凡事都压你一头。一次我说《荷塘月色》，他甚至不动声色地说，就在我宿舍前；我写了一首诗，他看也不看，随口吟出同学的新诗："信手摘一朵勿忘我，又轻轻地把她揉破……"

更气人的是有一次，他家里聚了一群男女，他母亲指着他们，高声介绍说，都是北大的。

去找别的玩伴，层次实在低，一个伙伴投人所好，写一首诗拿给我看，"赤脚医生下乡来，替人看病除忧愁，……"我说，诗必须押韵，他一下就蒙了。我掰开揉碎讲，讲平仄是万万不行的，只好举例，"红军不怕远征难，万水千山只等闲"，那个"闲"听上去是不是像"难"？那伙伴恍然大悟，伏在案上，一袋烟功夫诗改好了，"赤脚医生下乡来，我们欢迎他们来，他们为了我们来，为了我们看病来"。事已如此，我们只好改成酒肉朋友，再不以文会友。

录像前，海啸总是要叮嘱几句。

我心里明白，这样下去，我和三儿他们崛

起的诗群距离会越来越大。

我开始对考大学产生了兴趣。三儿的家我是不去了，引得他好奇心大增，周末回家非要看看我在做什么。但他的狼子野心被我母亲识破了，无非是想耽误我的时间，他被逐了出去，经历过文革的母亲叮嘱我，对这样的人防着点儿。

母亲他们这一代敬奉的信条是，防人之心不可无。

在无所顾忌的年轻一代看来，真是不可思议。我曾请教过邵燕祥先生，人们都说五六十年代人际关系好，上班车都谦让，您以为呢？邵先生说，上班车让着你，晚上可以把你告成反革命，现在班车怎么和你抢座，也不耽误你前程吧。

这就难怪母亲他们整整一代人，十年怕井绳。

母亲说这话 20 年后，阴差阳错，三儿又和我成了同事，屏幕上的海啸，就是当年的齐含笑、三儿。同在《实话实说》，他做策划，我来主持。许多观众喜爱的节目如《郭大姐救人》、《噩梦醒来是早晨》、《我的儿子太潇洒》，就是他领衔策划的。

有时我得便宜买乖地高声喧哗，看啊，广院的管北大的，新闻系的管中文系的。三儿不能把我怎么样，也告不倒我，没人诬告的日子真好。

其实早在 1981 年夏天我就和三儿平起平坐了。我已经接到了北京广播学院新闻系的录取通知书，三儿和我悠闲得找不着北，共同回忆起了小学暗恋的女友。我那个，名没记住，姓也忘了，只剩下一个漂亮。到底是大一岁，三儿把他那个女孩记得底儿掉。一刻也没耽误我们回到良乡，七拐八问，终于嗅到了那女孩的踪迹。上了一个高门台，三儿文质彬彬刚一发问，一条恶狗扑了出来，我俩掉头便跑，春心全无，只恨爹娘少生了两条腿。后来，那女孩出来了，轻轻一唤，恶狗变了个样，轻摇尾巴，好像什

么事都没发生。进入家中，那女孩召唤坐下，手里没停，一直搓洗着盆里的衣服，一个普通的黑黑的农村女孩。

三儿那天很亢奋，一路讲着美的哲学意境回家。

前两天，我们一起开策划会，为了节目，这样的会每周要开上几次。三儿坐在我对面，阳光一闪，我看见了他头上夹杂的白发。这样的朋友真是面镜子，我下意识地摸着自己的脑袋。

三儿考我男生女生仿佛就在昨天，弹指一挥间白发上了两个人的头，有朋友相伴，日子过得飞快。干工作时，三儿从不用催，原因很简单，一寸光阴一寸金，三儿整整比我少一寸。

朋友的特点你会记得很牢。我在大学的朋友宋健很喜欢自言自语。

从早晨洗脸开始,他的嘴就不停,一个学期以后,我听清了他的说法,"能攻心则反侧自消,从古之兵非好战,不审势即宽严皆误,后来治蜀要深思。"多年以后,我在成都武侯祠看到这副对联,眼前立刻浮现出宋健洗脸的神态。

后来的事实证明，这是宋健的座右铭，凭着它，宋健可以左右逢源，不上浪尖亦不入低谷，操着自己的命运大盘平稳前行。

宋健属于那种内外一致的人，长得貌似憨厚，人也的确憨厚。我们把饭票放在一起使用，月底居然富裕很多，买了整只烤鸡，伪军一样手撕着吃下。第二月又预见性地先买了烤鸡，月底饭票却不够了，老人言，"吃不穷，喝不穷，算计不到就受穷。"四处化缘的日子实在不好过。

去过他家，父母都是老老实实的知识分子，孩子们受到良好的家教，优秀品质得以传承。

宋健是那样一类朋友，你的观点正确时，他可以附和，他同时喜欢用沉默表示不同。这样的朋友在你身边，让你很有面子。你的一点光彩，会引来他的赞许，这赞许起得只是鼓励的作用。

我至今不忘失恋时，月黑风高，我像公路片的主人公一样，在校园里各条道上跋涉，宋健汗流浃背地跟着我，并和我一起用最恶毒的语言诅咒那个女生。朋友在爱上，通常泾渭分明。

狂躁时，朋友真的是最好的镇静剂。

宋健为什么爱自言自语呢?想不通。如果不是朋友，你会觉得这缺点能置人于死地，加上朋友的概念，一切又都变得可爱。我工作后这样的体会还有两回。一回是甄子爱说“等于”，准确地说是滥用“等于”，因为他描述的两件事并不“等于”；另一个是丁戈爱说“如同”，无“如同”不张嘴，我总结成，甄子说“等于”，等于丁戈说“如同”。

转眼间到了大四，宋健忽然收拾起铺盖要回家去住，细问缘由，才知道他痛下决心要复习考研。

我的两个朋友因为考学把我晾在一边。让我佩服的是，他们经常是一咬牙，就办成一件事，而我却是咬碎牙往肚子里咽。

宋健考上了研究生，我们也到了照毕业像的时候。无论如何，毕业总是件喜事，那天大家欢天喜地，班主任阎庆文把我叫到一边悄声对我说，你肄业了。看着我发愣，他补了一句，你四门不及格。

宋健在高声叫我，一个硕士在喊一个肄业生，一瞬间就这样了。以后我曾多次做过同样的梦，拿着厚厚的材料去上访，因为我顶撞了老师，得了59分，我是这样肄业

连去郊外植树都要带上吉它，是不是有点小资情调。吃东西者是宋健。

的，冤啊！

好在我在部队大院长大，多少复制了几分军人的冷静，我要求复核我的分数，尤其是存有疑问的英语。

红日西沉，尘土飞扬，我和阎老师站在还是建筑工地的学校主楼眺望着，远远地看见英语老师走了过来。

后面的事，电影一样印在了我的脑海里。

英语老师边走边说，不知卷子还保留了没有。

进了楼道，他又说，不知放在哪个柜子里。

那天停电，我举着手电，他说找到了。

他说及格了。

他说是61分。

就差两分，我又成了学士，谁都知道，一个学士的路远比一个肄业生顺当；一个肄业生得到社会认可要比一个学士难十倍；在中国，很多人因为一分之差，命运发生突变，发生逆转。

事情真是有些怪，英语老师已经调走了，还能回来，居然找到了卷子，10年以后我才知道，陪我站在夕阳里的班主任老师竟然是日本人。后来，我跟老师打趣说，我知道你为什么对我不好了，因为你知道我爸抗过日。

猩红的毕业证书捧回家里，老崔家诞生了第一个大学生。我把失而复得的经历告诉母亲，母亲走过那个年代，有时候有些神经质，那天却出奇地平静。

她说，不容易了，你是7个月早产，生下来只有3斤6两，住了56天暖箱，能把学上下来就不错了。

这串数字母亲常挂在嘴边，我记得烂熟。

母亲从小对我的“怂恿”，就是“只管做人，不管做学问”。

母亲又说，国家主席都被他们整死了。谁容易。她常用这句话说服自己，也用它说服我们。

说完，她转身进了厨房。

母亲说，不容易，让我想起另一位朋友，孙庆石，他最爱说，不容易。

1984年，大学三年级，我和三个同学一起去湖北沙市实习。一到沙市电台，就有人引见他，说是北京老乡来了。见到孙庆石，他笑眯眯的，第一句话就是，不容易，从北京到这里。当年支援三线建设，孙庆石父亲携全家来到湖北，一直干到退休，也回不了北京，父母现在年事已高，重病缠身，难怪他会把不容易挂在嘴边。

在沙市的3个月，常听他说不容易，有时候很容易的事做完，他也会说不容易，现在想来是他独有的表述方式，更能传达他的同情与理解。3个月过去了，我结束实习想直奔武当山，实在是想捞点回去侃山的资本，孙庆石随手递过来10块钱，不容我推托。1984年，10块钱太多。孙庆石说，拿着，不容易。

右一是孙庆石

后来，我的经历颇有些江湖的味道，一路上，凭着他的关系，我没费什么周折就登上了武当金顶，从此铭记一个信条：多个朋友多条路。

在我所有朋友中，孙庆石变化最小，既使现在看着我主持节目，得意时神采飞扬，他照样说，不容易。

最后一个登场的朋友改名前叫王伟。

他调到中国记协，那里早有了一个王伟，所以他改名叫王小伟。不去争大，第一个举动就透着股帅气。

王小伟下过乡，插过队，先去宝鸡，后去云南。1987年，我们在乌鲁木齐采访相遇。吃过晚饭，大家东一句，西一句扯，谈到个人经历，王小伟的历史被长卷般拽出。他说最美的时候是走上10里山路去赶集，喝上一碗闪着红光的杂碎汤，然后大步走回来。在云南，一泼皮叫嚣要杀他，众人努力阻拦，他说他在竹楼里扔掉胆怯，狂奔出去，高声叫道，放他过来。众人松了手，那人却僵在原地。原来，一个人身上有了侠气，不出手就可以先赢上七分。

1987年，我和王小伟(中)在新疆采访时认识。

有这般不凡经历自然让我们刮目相看。加上他的古道热肠，很快成了小弟兄们的靠山。

他以采访团团长的身份领着我们四处走访，新疆边防、海南建省、深圳特区建设，沧州乡办企业，大家一起吃香的、喝辣的，住星级宾馆；大家一起挨饿受冻，在长途车上捱过漫漫长夜。友谊之树经受了洗礼，郁郁葱葱。

更多的时候，他是以大哥的身份关照着大家，嘘寒问暖，后来，小兄弟们相继有了伴儿，都愿意带到他面前，听听他的看法。

我第二次失恋的时候，心里挺明白的，就是面子上挂不住。连夜赶到他家，恰巧那天嫂子不在。

我一个人说，他一个人听，烟抽得云雾蒸腾。

末了，他叹了口气，顺口问道，还没吃吧。

他起身，点上火，烧开了水，先下上半斤挂面，然后撞碎两个鸡蛋浮在上面，锅里沸腾着，屋内一时添了不少生气。

我因为感动而吃，依然吃得没滋没味。他点上一支烟循循善诱。面快吃完的时候，我嘴里慢慢恢复了知觉。

其实，人关键的时候就那么几次，有时候自己挺过去，有时候朋友推一把，咬咬牙，一切就正常了。

没过多久，我又生龙活虎起来，还让别人失了恋。事情闹大了，躲到大北窑王小伟家，不敢露面，还是他站出来，替我收拾残局。

王小伟关照起朋友来，甚至没有原则。但既便这样，凭着他是个好人，我们宁愿闭着眼睛跟他走，省上一点力气。

朋友，是这么一批人。

是你快乐时，容易忘掉的人。

是你痛苦时，第一个想去找的人。

是给你帮忙，不用说谢谢的人，

是惊扰之后，不用心怀愧疚的人。

是对你从不苛求的人，

是你从不用提防的人。

是你败走麦城，

也不对你另眼看待的人。

是你步步高升，

对你称呼从不改变的人。

寻找英雄

在杨子荣墓前，我一阵心酸。

唯以改过为能
不以无过为贵
——陆贽《奉天请数对群臣兼许令论事状》

1

我很幸运，赶上了英雄辈出的年代，那些英雄的名字至今记忆犹新。

当年英雄代价极高，凭的是对理想的执著追求，抛头颅，洒热血，撇家舍业，内心始终激荡着浩然正气。比起来，现在的英雄比较好当，染着头发，细皮嫩肉的就成了英雄。难怪，我的英雄情结旧得发黄，赶上大晴天，总要端出来晒晒。

2

英雄得以脱颖而出，是关键时刻行为超越了常人。

一般人学起来，代价极高。我7岁时就摸过电门，一下被从窗台上打下来，半个膀子麻了很久，原因是看了海军航空兵的胡业桃挑电线救人，英勇牺牲。激动之余，想体会一下英雄当时的感觉。后来见有“特异功能”之人，手牵电线，面不改色心不跳，心想，这类人就该派到电线施工现场，专干挑电线救人的事，也算是人尽其才。

7岁时，我还想尝试顺着井壁撑到井底，学的是《地道战》里的英雄。被老乡发现一把薅了上来，老乡说，三九严寒的，晚发现一会儿，就是冰棍一根。

我懂得“一花独放不是春”的道理，率全院十几个孩子，仿《地雷战》里“一硝二磺三木炭”的配方，制造了一个硕大无比的铁西瓜，只不过没有引爆成功，不然的话，两条路摆在我面前，一是轰动全国的自酿血案的主角，二是少年犯。

许多电影、电视剧禁映，如《飞刀华》、《加里森敢死队》等等，都是吃的这个苦头。

也许你会问,在学英雄的征途上,你没被母亲惩罚过吗?

当然挨过打，但相比之下惩罚得不严厉。原因吗，很简单，我还有俩哥，学起英雄来，劲头更猛。

我二哥效仿“铁道游击队”飞身上了正在提速的火车，这才发现上去容易下来难，被拉出去整整一站地，深夜，才蓬头垢面地走回家中。

而我大哥最欣赏的是“狼牙山五壮士”。

那时候,学校也没起好作用,天天讲“学英雄,见行动”。

很多英雄行为都和意外事故缠在一起,需要仔细分辨。

1965 年 7 月 14 日，南京部队的王杰，在一次埋地雷的演习中，为保护在场的 12 个民兵和干部，奋勇扑向即将爆炸的地雷，光荣牺牲。

这样一件惊天动地的好事最初是被当做事故上报的，而王杰理所当然地被认定为事故责任人。幸亏部队首长看到相关材料并且翻阅了王杰的日记，才没有埋没一个时代的英雄。

许多英雄的行为被哂笑，当然有学习者只看到形式的问题，也有旁观者无法透过现象看清本质的原因。

英雄在千钧一发、迅雷不及掩耳之时，是来不及多想的。

深思熟虑会灭掉很多英雄。

当我们仔细凝视英雄们的足迹，会发现他们多数都在长成的路上默默地锤炼自己，他们和我们一样普通平凡，有七情六欲，也还都有些缺点。

3

我们就从雷锋的缺点说起。

1962 年 3 月 24 日，雷锋在日记里写道：“今天吃早饭，我看到炊事班的饭盆里有很多锅巴，便随手拿了一块吃。炊事员同志说：‘自觉点啊!’我听了这句话，心里很难受，觉得吃一块锅巴有什么?赌气把那块锅巴放到饭盆里,走了出来。”后来,雷锋学了毛主席语录,承认了错误。

嘴馋，听不进批评，是年轻人的通病，改起来也不都像雷锋这样简单。每一件小事都处理得相对完美，就成了雷锋。这样的事在雷锋日记中并不多见。8 月 8 日记着另一件事情：“今天给一营二连拉粮食。上午八时出车，九时半左右就到达了抚顺粮站。这趟车是副司机开的。因他缺乏驾驶经验，遇到紧急情况，就手忙脚乱起来。因此，轧死了老乡的一只鸭子。我立即叫他停车，向老乡道歉，并给老乡赔偿了两元钱，使老乡没意见，很受感动。”明眼人可以看出，1962 年的鸭子是不值两元钱的。

这些年，随着“极左”离我们远去，一些当事人打消顾虑，实话实说，使我们心目中的英雄恢复了常人之态，因为真实而更加可爱起来。

被雷锋照顾过的已经 90 多岁的老奶奶张士霞，至今清楚地记得，中秋节部队发了月饼和苹果，雷锋月圆之时想起了亲人，泪水横流，愣是一口也吃不下去。父母双全儿孙绕膝的人们如何能体会一个孤儿没有家，没有亲人的凄凉心情。

当时任摄影干事的张竣还记得，一次陪雷锋去做报告，接待单位送了苹果，雷锋回到住处就要吃掉，亏得张竣的提醒，雷锋才马上把苹果送到敬老院。

我们还知道了，雷锋在篮球场上被大个子们耍得团团转，雷锋打扑克时特别专注。

一个可爱的英雄已经慢慢地，真实地站立在我们面前了：因为是孤儿，没有亲人没有家，所以他非常珍惜来自部队大家庭的温暖，他用帮助别人来充实自己的内心。唯有如此，他才会体味到更多的亲人欢聚的感觉，他的“唱支山歌给党听，我把党来比母亲”是内心深处朴素的想法，和其他人的唱高调毫无干系。

在部队时，正是他青春迸发的时期。和所有的年轻人一样爱美，富于幻想，热情洋溢。如果没有后来的意外，他会和我们一样，穿上皮夹克，戴上手表，去享受甜蜜的爱情。

读一首雷锋的诗，再感受一下他对生活的热爱和对人生的眷恋。

南来的燕子

南来的燕子啊，
你不再寻旧时代的屋梁
无论你飞到哪里
再也找不着你从前住过的地方
去年这里是荒凉的地方
今年变成高大的厂房
欢迎你到新的农场宿舍来拜访
我好请你告诉我

你可知道
你所飞过的地方新建了多少这样的农场。

4

像雷锋这样平民化的英雄，中国不算多。大多英雄一旦被炒作起来，就迅速罩上了神奇的光环，我们不妨看一看杨子荣。

杨子荣，名宗贵，字子荣。山东牟平县嵎岬河村人，1917年生，1945年参军，是部队的炊事员。参军第二年来到了黑龙江省海林县，同年4月当上了团部直属侦察排排长。

侦察排长一职可谓给杨子荣量身定做，他除了具备身手矫健、临乱不惊的本事以外，还有很多独到之处。装谁像谁，学啥像啥，熟谙各路土匪黑话。

这就是杨子荣

学过外语的人都知道，弄明白一门母语之外的语言不容易。土匪黑话用的是汉语，语法却一概是黑道上自创，说白了，还是外语。

听一段黑话，感受一下杨子荣业务的难度。

甲：看皮子掌亮

子，备好海砂混水子，小嘎子压连子！

乙：是空干还是草干？空干啃富，草干连水。不空干，不草干，来个草卷儿，掐着台儿拐着！

翻译成人话是这样的。

甲：看好狗点上灯，预备好咸盐和豆油，小孩子溜马去！

乙：不知老总是饿还是渴？饿了吃饭，渴了喝水。如果不渴也不饿，就来支卷烟，拿炕上抽去！

据说在林海雪原侦察时迷了路，杨子荣可以攀上树顶瞭望，从这棵走到那棵。半个世纪后，电影大师李安才在银幕上塑造出这样的武林高手，并一举拿下奥斯卡奖。侦察小分队在树林中和土匪遭遇，杨子荣和他们对着黑话擦肩而过，最后一名小土匪成了他的“舌头”。

杨子荣的口才也十分了得。1946 年 3 月 22 日，部队与土匪在林口县杏树村激战，相持不下，杨子荣只身进入杏树村，一番口舌，愣是把土匪说得投了降，这一仗，俘获土匪 400 余名，重机枪 4 挺，轻机枪 6 挺。

杨子荣胸佩红花，被选为战斗模范。

1946 年 5 月 13 日，在尚志县的亚布力，杨子荣和战友一举歼灭残匪许大马棒的兵力，生擒了许大马棒本人。

而生擒座山雕一战，更因为小说、电影《林海雪原》和京剧《智取威虎山》的传播家喻户晓。

座山雕是顽匪，生擒当然不易，所以整个过程势必会披上一层神奇的面纱，好在此事被 1947 年 2 月 19 日的《东北日报》报道，我们多少可以了解到一些当时真正的情况。

以少胜多创造范例

战斗模范杨子荣等活捉匪首坐山雕(原文如此)

(本报讯)牡丹江分区某团战斗模范杨子荣等六同志，本月二日奉命赴蛤蟆塘一带便装侦察匪情，不辞劳苦，以机智巧妙方法，日夜搜索侦察，当布置周密后，遂于二月七日，勇敢深入匪巢，一举将蒋记东北第二纵队第二支队司令“坐山雕”张乐山以下二十五名全部活捉，创造以少胜多歼灭股匪的战斗范例。战斗中摧毁敌匪窝棚，并缴获步枪六支，子弹六百四十发，粮食千余斤。

我第一次读此报道，惊诧之余，多少有些失望。6人抓25名，而且全部活捉，敌人一共才步枪6支，哪有京戏里唱的“威虎山倚仗着地硐暗堡”“我把住这暗道机关”，再说了，带25个兵算哪门子司令，25人再选出“八大金刚”岂不个个有凑数之嫌。

好在，家父就曾亲自参加过剿匪，戎马一生，负伤3次，两次都是被土匪打中，可见土匪虽土，也似地头蛇般难缠，杨子荣们还是不易。

舞台上把杨子荣神化了，成了神就难免被凡人调侃。

在威虎厅和座山雕比试枪法一段，我就听过3个版本。

一是座山雕一枪，梁上的道具本该扔下一盏灯，那天一失手，3盏全扔下来了，众人屏住气，看杨子荣如何收场，只见杨子荣气定神闲，抬手一枪，全场灯暗。“八大金刚”摸着黑不忘捧臭脚，好枪法，一枪把保险丝打断了……

二是座山雕一枪，全场灯暗，原来慌乱中，电工出了错，拉了电闸，杨子荣不慌不忙，抬手又是一枪，全场光明一片，“八大金刚”叫道，好枪法，一枪把保险丝接上了……

第三个最难，座山雕一枪，上面扔下灯两盏，这本是给杨子荣“一枪打俩”预备的，杨子荣正犹豫着举不举枪，上面又扔下了一盏，这回“八大金刚”有话了，好枪法，没打就下来了……

其实，脱掉这一身艺术修饰，真实的杨子荣朴实中透着机智，老练中显出果敢，另有一种打动人的力量。照片上的杨子荣，瘦高个，硬茬胡子，打着绑腿，手扶短枪站在那里，看谁谁含糊。

听听杨子荣的实话实说，远比舞台上的唱词动人。

“不下水，一辈子也不会游泳；不扬帆，一辈子也不会撑船。党培养我这么长时间，我一定能克服万难，战胜座山雕。”

1947 年 2 月 23 日，在海林县北部梨树沟山里闹枝子沟追剿残匪的战斗中，杨子荣被一个刚刚让土匪收买的猎户孟老三击中牺牲。有人说，英雄闯过大风大浪在小河沟里翻了船，那一年，他才 31 岁。

5

我们这拨人挺奇怪，上不着天，下不挨地。看黑白电影长大，却活在染头发的世界里，内心总是充斥着矛盾。所以年龄不大，却十分怀旧。

沈阳的关捷就是这样的人。

在东北电影院，他没少看老电影。当记者的他，心中生出一个个问号，这些英雄真有其人吗?现在的他们还好吗?

带着这些问号，他上路了，足迹遍布大江南北。一走就是一年，他为这次行动起名叫“寻找英雄”

在河南信阳，他找到了张计发，《上甘岭》中张忠发的原型，没想到英雄一口否认，他说：“我确实不是英雄，不是你要找的人，你如果把我当成英雄登在报上，一定会使我不安的。”

英雄张计发认为自己不是银幕上英雄的原型，不过是参加过上甘岭战役，也在坑道中呆过而已。

他在后来写给关捷的信上说：“你在信中问我，坑道里真的有个唱歌的女卫生员王兰吗?那个卫生员是有的，不过她没有唱歌，她没有时间呀!她叫王清珍。但她当时在山下包扎所。由于在山下，所以拍电影的时候，起初没有她。但是战士们都不干，他们对摄制组的同志说不拍她，我们也都不拍。王清珍的事迹感人极了，那真是惊天地泣鬼神哪。她一个人照顾30多个伤病员，伤员发高烧排不出尿，她急得没办法，最后用嘴给伤员吸出来，她当时是一个不满18岁的大姑娘呀!为了挽救战友们的生命，她做出了世界上最难做的事情，这是怎样一种高尚的情操，一种伟大的境界呀!”

有意思的是，他还找到了《地道战》中高老忠的原型王玉龙，实际情况没有像影片中那样，用手榴弹和鬼子同归于尽。导演说，牺牲一个人才有感染力，才能唤起人们对鬼子的仇恨。准确地说，老村长是为艺术献身。

《沙家浜》中阿庆嫂的原型陈二妹长期生活在江苏常熟的董浜。

还有《地雷战》中赵虎的原型赵守福，玉兰的原型孙玉敏。现在在山东海阳安度晚年。

关捷还了解到，真正的斗争远比银幕上悲壮得多，残酷得多。施洋大律师的亲人说，《风暴》拍得哪都好，就是结尾失真。历史事实是，施洋大律师根本没有跑上房顶，而是明知有诈，坦然去赴敌人的宴会，被捕后受尽酷刑，他硬是没有吐出“复工”二字，年三十的晚上施洋大律师被秘密杀害。

2001 年，我为了制作《实话实说》特别节目，又把一批老英雄请到了北京。

听他们实话实说当年的故事，比电影还传奇。

刘吉尧，也就是《智取华山》里的刘参谋的原型，他说，当时他们去了 8 个人，执行的是侦察任务，结果随机应变顺手就拿下了控制着咽喉要道的华山北峰，击毙的不算，俘虏就抓了 111 名。

刘参谋和向导成了好朋友，向导还给他介绍了一个爱人。

张魁印，也就是《奇袭》中方勇的原型，老人家说，电影有些是虚构的，第一炸的桥不叫康平桥，而是叫武陵桥，第二也没坐美式中吉普，山路迢迢，完全是走着去的。

有趣的是，他们穿的就是志愿军的衣服深入敌后，原来当时的联合国军什么衣服都有，自己都分不清。

碰上敌人，也是沉着冷静，对答如流。

哪部分的？

一大队的。

从哪儿来。

从前面来。

到哪儿去?

到后面去。

听上去一点毛病没有。

炸完桥想撤的时候遇到了麻烦，敌人里外三层包围了他们，紧急时刻美军飞机赶来了，不由分说扔开了炸弹，居然把自己的队伍炸得鬼哭狼嚎。

张魁印说到这儿很得意，美军帮我们完成了任务。

现在我们知道了，英雄是干出来的，不是塑造出来的。

张静波：鲁南铁道大队三中队指导员
杨益言：《红岩》作者之一
张计发：志愿军某团7连长
《上甘岭》中“张忠发连长”的原型
刘吉尧：《智取华山》中“侦察参谋刘明基”的原型
张魁印：《奇袭》中“方勇连长”的原型
（从左到右依次排列）

在路上

那时候，不管去哪儿，都要亮出胸前的大学校徽。

北京广播学院(本科)

你要知道梨子的滋味，你就得变革梨子，亲口吃一吃。

——毛泽东

万里长征第一步，从长城饭店开始……

大学前两年熬过来了，第三年终于盼来了专业课。

新闻采访、编辑、录音报道、评论写作，这些激发了我们的兴趣。对采访课，老师是甩手疗法，一人发一张介绍信，自己联系采访对象。

再看同学们，外地的找老乡，本地的找爹娘，八仙过海，各显其能。

像往常一样，我和宋健依然确定了联手的原则，他去联系采访单位，我在宿舍琢磨采访提纲。

傍晚，宋健回到宿舍，轻描淡写地说，联系好了，明天采访长城饭店。同学们眼睛瞪得灯泡似的。长城饭店?那可是五星级啊!巴顿将军才四星。八三年去那儿采访，相当于今天说,今晚上我把长城饭店包了。看看宋健一脸的土,就知道他今天拐弯抹角没少跑路。灯还没关,就睡着了。

第二天黎明即起，洗漱换衣，还特意拿了新本以备采访专用。换了3趟公共汽车，来到长城饭店门前。我放慢脚步，让宋健超过。门卫拦住问明情况，打了个电话，公关部经理“西服革履大皮鞋”迎了出来。

一进大厅，就一个字：晕。

那大理石就像不要钱一样，撒开了铺。要紧处都包着不锈钢，光可鉴人。

公关部经理头上油光锃亮，人极热情，领着我们上上下下地转。不时地提醒，小心，地刚打完蜡，小心，钢筋扎着，建设中的高级饭店给人的感觉就是这样，一会儿天上，一会儿人间。我有些晕场，顾不上提问题，只能抓紧记住公关部经理冒出的一串串数字和新鲜的词汇：1007 间客房，12 个宴会厅，9 个餐厅，还有室内游泳池、屋顶网球场、健身房、弹子房、芬兰浴室、蒸气浴室、美容室……

忽然，公共部经理问，你们写了稿子在哪儿发?

这一问宋健蒙了，我的准备就派上了用场。

是这样，我说，职业记者只能给本单位发稿，而我们新闻系学生写的稿是想在哪儿发在哪儿发。

公关部经理被我说得激动，那我能不能提个冒昧的要求，发在《北京日报》上。

这要求相当冒昧。

比我们联系采访长城饭店还难。

我记得全班同学折腾了 4 年，只有河南来的辛如计在《北京日报》上发过一篇:《透视大学门前送新生的小轿车》。

其他同学长期和退稿信结缘。

我对自己，还是有清醒认识的。作品创作完毕，《十月》、《当代》没希望，投给《萌芽》。分析一下刊名，大概是扶植文学新人，应该是有点意思就行。被《萌芽》退回来是我没想到的，于是转而投给了《丑小鸭》，我觉得这是底线了。

《丑小鸭》退稿时，写着“暂不采用，望继续赐稿”。我悲愤交加，创作旋即进入低谷。

再说晚上回来，和宋健拉开架式，把采访笔记和对方送的材料铺了一桌，高声商议思路，同宿舍同学看不惯，都撤了出去。

吸引和打动我们的有以下素材：

第一，门不用你开，有专人负责。

第二，总台用电脑管理，这套系统世界不多见。宋健还从侧面了解到，五星级饭店全世界不超过10家。

第三，床上用品是进口的，躺在上面的人也该是进口的。果然，后来美国总统来时，就住在那儿。

第四，水龙头不用拧，一按就行，不可思议。

第五，最重要的一点，饭店是中美合建，总投资7,500万美元，中方占了51%。那天分析到这儿，我一身冷汗，差一点就让美国人占了大头，公共部经理说，那叫控股，谁控谁说了算。

我问宋健，中方占4,000万美元呢，你说是在哪儿换的，按1比几换的。

用了半宿的时间，给文章定下令人振奋的题目：第二长城。

宋健英语好，说这与英文说明契合。

左一是宋健

长城饭店至今屹立在北京东郊亮马河旁，是一座不错的饭店，但说它是第二长城，确实有点过。

红 妖

家里有一摞奖状，证明我从小学一年级到高中毕业始终在又红又专的境界中。间或有些小的波折，也无碍大局。

一上大学，情况陡变。

有人曾问我，大学你作过弊吗?我说，不是作过弊吗，而是以作弊为主。阶梯教室，我坐在最后一排，可以看到前5排的卷子。虽说是玩笑话，但广播学院相对宽松的体制，确实保护了学生的个性，没让我们走进后千人一面，而是活灵灵进去，活灵灵出来，这是后话。

帮助我倒立的是同学张永伟。您可能会说，你们怎么都是玩的照片，那是，上课谁给照?

进大学后，第一个感觉是没人管了。班主任难得一见，家长鞭长莫及。这时才觉得，以前虽然阳光雨露的，却是用很多不自由换来的。

可怜的是，一个人习惯了一种态势，改起来都难。

班上的第一次团支部活动，大家一起去了圆明园遗址，从系里借了砖头录音机，我把着，做录音报道。

按我的想法，总该有个仪式感强些的开场，团队活动嘛。没想到一到地点，一哄而散，上树的上树，爬墙的爬墙，看来，不是我一个人压抑。

梁悦掌握着相机，总有女生嘹亮地喊着他的名字要求留影。一个解说员正给游客讲解，他凑了上去，举起相机。解说员眼睛有问题，忌讳拍照，厉声问他，你干什么？梁悦说，拍人物照。解说员不依不饶，拍人物你拍我干什么，梁悦说，看你像人物。梁悦他爸是北京人艺的编剧，他从小在人艺院里长大，人艺的好东西他一点没学到。

像片没拍成，嘴上占了便宜，一群人嘻笑着跑开了。

到了晚上，大家挤成一团在宿舍里听录音回放，这段听了7遍。

在录音报道里，我不失时机地录下了鸟鸣声、汽车关门声、售票员报站名，还有很多我个人对新时期共青团工作的见解，可惜，这些根本无人理会。

后来，那盘听了7遍的录音带也很快被扔到一边，大家公开在宿舍里听邓丽君。

“甜蜜蜜，你笑得甜蜜蜜，
好像花儿开在春风里……”

在此一年前，我在北京十二中文科班的主题班会上，以“歌声与修养”为题，做了发言。我详细比较了《祝酒歌》和《美酒加咖啡》的不同，善意地提醒大家警惕腐朽思想的侵蚀。会后，几个同学提出，为了增强识别能力，再听两遍《美酒加咖啡》。

同学之间的感情是很好的，直到现在。

我观察到，在大学我们这个团体里，另类挺吃香的。如果追寻文学轨迹，这代人无疑受浩然影响大些。但我们班的复员军人张浩居然说，最喜欢索尔仁尼琴。来自北京幻灯厂的王子军更邪，喜欢迪伦·马特。

八一级编采班开始排斥民族的东西，头发争相蓄长。

单从艺术的纷争来看，我处在劣势，像红军的井冈山时期。那时候，艺术界也没什么领军人物振臂高呼，只有民族的才是世界的。

好在大家还有共同的喜好，那就是看北京人艺的话剧。

看完《茶馆》，所有人都啧啧赞叹。我心里多少有些安慰。路上还有个插曲，留着长发的陈杰在无轨电车上给抱小孩妇女让座，那妇女对孩子说，快，谢谢阿姨。

不过，进了人艺剧场，长头发就海了。这就难怪总有人把头发的长短和艺术见识相提并论。

那时的人艺，于是之、蓝天野、郑榕、任宝贤、黄宗洛、英若诚、童超、童弟、胡宗温，随便一个都是挑大梁的，而《茶馆》，一台子全是角。打手谁演的?说出来吓死你，林连昆。

真正的艺术是不惧怕偏见的，真正的艺术会打动你，会感染你，会融化你，但有一条，一定是真正的艺术。

我最后一次看人艺的演出，是《官兵拿贼》，那以后，就再没进过首都剧场。

等我和同事们一起做《实话实说》的时候，总爱拿人艺举例子。事干得漂亮要几个前提，人要聪明，还得敬业。通俗讲就是爱这行。在人艺，就是做动效，拉大幕也和别人干得不一样，你得觉得自己是为这行生的，才能豁得出来，钻得进去。剩下就是个合作，高手是把自己表现出来还不能耽误衬托别人，妙在不言中。

李婉芬、谭宗尧参加过《实话实说》，那就是不一样。

再回到八一级编采班。

那时,每天晚上宿舍关灯总会有卧谈,没什么主题,谁的有意思听谁的,你的话题总不提神,就得退出第一集团。

吴忠伟喜欢谈意大利电影，宋健喜欢谈清史，辛如计喜欢谈掌故，我喜欢说笑话。笑话就是个过渡，永远成不了主要话题，我知道了侯宝林先生把它从地摊整到舞台上有多难。

想明白以后，我一头扎进图书馆，死啃诗集和诗歌史。一次，辛如计诚惶诚恐地问我，胡也频是谁?这一问我知道，我行了。

那一段的感觉是在诗的海洋里遨游，人也怪，一沾诗就细腻，情绪起伏不定。

虽然每天还是在食堂里挤着抢饭，一点不耽误脑子里不断生发浪漫的念头。诗歌引导着人们拥抱单纯，醉卧世外桃源。我喜欢保罗·福尔、应修人、海涅、北岛……

假　如

(法)保罗·福尔

假如世上所有的姑娘都愿意手牵着手
就能在海的周围拉起一个大大的圆圈

假如世上所有的小伙子都愿意作个海员
就能用小船搭一座漂亮的桥在大海上面

那么，人们也能在地球的周围拉起一个圆圈
假如世上所有的人都愿意手牵着手，肩靠着肩。

偷　寄

应修人

行行是情流，字字心
偷寄给西邻。
不管娇羞紧，
不管没回音——
只要伊

读一读我的信。

德国，一个冬天的童话

海涅

……我不愿作为皇帝死去
埋葬在亚琛的教堂里
我宁愿当个渺小的诗人
在涅卡河畔斯图克特市……

回　答

北岛

卑鄙是卑鄙者的通行证，
高尚是高尚者的墓志铭。
看吧，在镀金的天空中，
飘满了死者弯曲的倒影。

看得多了，自己也忍不住要写。人们说，诗人的生活是痛苦的。无论有多好的心境，拿起笔来，意识到要写诗了，心情马上就糟糕起来。如果当时你在校园遇见我，“愤青”一样，满脸愁容，那一定是在构思一首新诗。

诗的情绪最怕打击，有时候饭钱不够了回家去要，母亲叨叨几句，回来后好几天写不出诗来。

重要的是，你有了些诗人的形象，方便了许多。比如胡子不刮、头发蓬乱，就被算到气质里面了。一些小女生，蠢蠢欲动，要借走我的诗集。班上的另一诗人河南人都晓，主攻浪漫派诗歌。他的每首诗里都有春、绿、梦、翠4个字，以致于4年后分手时大家相互留言，一个同学给他写道，人生不是四字经。诗人都晓现在是闻名全国的电视剧导演，《红旗渠的故事》、《李克农》就出自他之手，这和诗牵不上关系，更印证了那句话：功夫在诗外。

和都晓在辽宁实习

我的第一本诗集写完后没出版，压在褥子底下。起名为《涂鸦集》，用的是唐代卢仝“忽来案上翻墨汁，涂沫诗书如老鸦”的意境。不管写得怎么样，你说是信手拈来的，都是个像样的托辞。

我谢绝了出版社要结集捆绑出版的美意，选用3首精品，其中两首还是片断。

友谊在嫉妒下流血(节选)

友谊，

在嫉妒下淌着鲜血。
多少高贵的理想，
就像泡沫一样。……

乞丐和英雄(节选)

伸出你肮脏无力的手
乞讨吧，
像个英雄，
在要命令。

他们并不可怜，
他们可敬。
他们可以在风雪中无声地逝去，
他们却在门洞里、屋檐下
和狗一起
延续着
可以不必延续的生命。
他们
是英雄。……

红　妖

有人说，她是从乌龙背上
跃出来的
有人说，她是从最亮的星星
飘下来的。

红妖笑得甜
人们争辩时
她从不作声。

红妖走过哪儿，
哪儿就荡起春风
红妖望到哪儿
哪儿就飘起歌声。
一村的小伙子都爱红妖，
说亲的媒人挤坏了门厅。
红妖却爱上了憨厚的牛儿
不管别人怎样吃惊。

忽然有一天，
红妖要嫁到城里去了，
她的脸上，
第一次有了愁容。

迎新的车子开上了村口的渡桥
红妖挣脱着
跳出了珠光宝气的人丛。

有人说，她又跳回乌龙背了，
临走时，
一直回头张望。
有人说，她又飘回最亮的星里去了，
临走时，
还念着牛儿的乳名……

这首创作于八十年代初期的作品一经在班上发表，一片喧哗。有人问，红妖单指咱们班一个人吗，我无言以对。更有人说，牛儿不就是乳名吗，我更是无话可说。

闲下来的时候翻看诗集，暗自庆幸，如果当时我爱的不是诗而是个人，岂不是瞎耽误功夫。

当年，同学们争相各领风骚，都专攻了“一招鲜”，日后看来也不算是虚度年华。现在散落在大江南北也都小有所成。但共同的缺陷是后劲不足，这和当年只选一门不无关系，于是懂得了古人“生也有涯，而知也无涯”的告诫。

去苏州留园，有人指给我看一副楹联。

上联：读书取正，读易取变，读骚取幽，读庄取达，
读汉文取坚，最有味卷中岁月。

从左至右：罗青、梁悦、我、宋健、张浩、郭林雄这是上大学后第一次照像。

下联：与菊同野，与梅同疏，与莲同洁，与兰同芳，
与海棠同韵，定自称花里神仙。

读罢，有人问我读后感。

我说，站着说话不腰疼。

学而时习之

新闻系的学生最喜欢实习，堂而皇之的理由是参加社会实践，心底里藏的是个玩。

1984年，我们第一次实习是去湖北沙市，坐火车到武汉，转乘汽车去沙市只要4个小时，而我们偏偏上了船，为的是新鲜、好玩。结果走了一下午零一晚上。

到了电台，盼望用记者的身份出去采访，可同去的老师非介绍说是新闻实习生。我和老师商量，不介绍行不行，老师说，瞧你一嘴京片子，鬼才听不出呢。

好在是北京来的，受重视，将就了。

沙市很小，26万人，一趟公共汽车。

但沙市名气不小，丧权辱国年间，它是被逼迫开放的通商口岸，还有天险荆江大堤。是长江沿线的重中之重。

第一周，没大事。吃吃饭，转转圈，一转转到荆州，古城保存得完好，依稀可见三国烽烟。听老师古今中外介绍了半天，就记住俩人，刘备和陈冲。我对后一个更有兴趣。

听说陈冲在这儿拍的《小花》，只恨自己晚来了几天。

几天下来，我也有收获，采访本上记录着，去了棉纺厂、印染厂、仪器仪表公司、瓦楞纸箱厂和香料厂。需要

1984年，在沙市实习，人比黄花瘦。

搞清的名词有：利改税、岗位津贴、清耗定额、基架模具和蜡样芽胞干菌。

采访本还写着，早上8点25开谈，中午边吃边谈，下午5点结束。连续两天下来，头昏脑涨，写出来的文字一律干干瘪瘪。

本台消息：沙市一厂在党委一班人带领下，用改革开新路，用管理增效益，使工厂面貌发生了翻天覆地的变化。工人们都说，还是改革好啊!

一个月后，勤学加苦练，也算劳有所获。我写了篇长达数千字的通讯在新闻头条连续3天播出。趁着好评如潮，我当即提出开辟新栏目，居然获准，每晚5分钟，名为《沙市快讯》。

6个年轻人6辆自行车撒了出去，四处找寻新闻线索，比如，沙市菜市场发现白色乌龟，河南清丰马戏团来沙市演出……

一天下来，很充实。犒劳自己的方式是嗑着瓜子看《血疑》。这出日本连续剧当年正火，播出时，万人空巷。主题歌至今能唱：瓦塔西乌，塞依那奴，尤路西逮，苦拉萨伊……

平生第一回上报纸，也是在沙市。我们几个年轻人跳进电台前面的便河捞帽子大小的河蚌，然后去老师家煮着吃。第二天，《沙市报》载，昨天有人去便河捞蚌，在此提醒市民，传染病院污水流入便河，请市民千万当心。

消息配发的照片是我们在捞蚌。

实习回来，互相瞧着明显都成熟了一块，好比生铁稍稍锤敲又淬了火。转年冬天再实习，已经规矩多了。人像谷穗，饱满了，倒不张扬了。

八五年冬天，沈阳很冷。省广播电台老师的要求更严。一次，我采访一个企业家，被他忽悠的情绪高涨，一下笔有如神助，整了小一万字。回来俩老师戴上眼镜你看一遍，我看一遍，交换个眼神，对我说，改条短讯吧，300字。

“五·一”节到了，俩老师带着我到北陵做游园的现场报道。稿子事先写好，被采访的劳模事先联系好，到现场录点杂音，又找个背风的地方补一段文字。拿到稿子一看，全是人名，要求我一气呵成读下来。我说，这都谁啊。老师说，省市领导。我说，能不能不念人名了，挺枯燥的。俩老师爽朗地笑了，傻小子，全删了，这段也不能删。

学的这手现在还好使。

直到做了《实话实说》节目，成熟的自律意识还在发挥作用，常常是婆婆还没枪毙，媳妇先把自己枪毙了。

好记者，是问出来的，走路走出来的，使劲琢磨出来的。这是实习留给我的感受。

工作以后，实习生纷至沓来，一个个嘴上抹蜜般喊着崔老师。没说的，带上直奔基层，投身火热的生活。

两年前，两个美国小伙魏安国、柯达荣，抱着对中国文化的浓厚兴趣来实习，正发愁从哪教起，忽然间想起埃德加·斯诺，眼睛一亮，带上他们去了延安。

和克文（克文是我在延安的朋友）说明来意，租一辆夏利去了子长县。克文路上看着一米九的柯达荣油毡一样卷着，说，夏利不是给美国人设计的。

小魏来自加利福尼亚，家庭条件优越，相当于干部子弟。人也聪明，很快弄懂了汉文化的精髓——自嘲。他冲着长安街上挤我们的使馆车说，死老外！还温情脉脉地跟陕

走在中间的是柯达荣。我告诉他们，这张照片叫鬼子进村。

北的猪说，你猜对了，我是美国人。

柯达荣比较朴实，这和他出身在俄亥俄州有关，手里总拿个小本，见什么记什么。两个月以后，大有长进，分别时恋恋不舍，骨子里浸进去了东方人的亲情。

柯达荣收获最大，刚来时中文磕磕绊绊，临走时扔给我们内部刊物《空谈》一篇文章，很有些蒲松龄的意思。

附：

万事开头难

柯达荣(美国)

我学习越多，越发现我知道得多么少。国际学习和旅行的好处不是在学会的事实，也不是在玩耍，而是在于揭示世界各个地方的好处。我认为，全世界的人都重视一样的素质和价值——真诚、怜悯、智慧等——但是每个文化甚至每个人都有不同的表达方式。因此，我们看别的文化我们常常说他们这他们那[莎士比亚说，“Nothing is good or bad but thought makes it so.”(没有好，没有坏，用我的思想来判定好坏。)]的时候，它表露出我们相对的看法。

虽然我是这么想的，但是有时候，这个适应过程还是很难。在台湾、青岛、北京都经过这样的过程，但是北京的是最难的。我在美国很自由自在，在这里比较严肃。因为我不能参与，我只能坐在旁边看，我

我喜欢延安，我去过 3 次了。

左边是柯达荣，右边是小魏。这张照片叫，革命不分先后。

给自己压力，要学习让自己能够参与，这样才会觉得我有贡献，进步。如果吃苦的定义是希望和现实之间的距离，那我正在暴饮暴食，但是这个并不是坏事。

去五台山时，我经过很多农村。那时候，他们正在收小麦。小麦放在路上让车压到。可以说遇到困难就像那些麦子一样。虽然觉得被车压到，但这个却是一个使人进步的过程。

我听过一句话“告诉我你喜欢谁，我告诉你是什么样的人。”我喜欢可以帮我学习、进步、自强不息的人。因此对给我麻烦的人我表示感谢。花展开时，眼睛看不到花瓣的移动。自己的进步也如此，突然见花开了。

将身来到洪洞县

明朝正德年间，北京前门怡春院的掌柜苏淮的三女儿遇到了礼部尚书王琼的三公子。俩人一见钟情。

王三公子这时是高考落榜，和苏三混了半年，没了钱，被人从怡春院赶了出来。苏三当然心痛，从此无心梳妆，茶饭不思，很快就被她妈卖给了马贩子申鸿。

她妈，根本就不是亲妈，一个老鸨而已。

再说这马贩子万万没有料到，苏三并非寻常之人，而是后世家喻户晓名剧中的主角。结果，这女子一张嘴，登时毁了马贩子老家的万世英名。

“越思越想越伤情，洪洞县里没好人。”

原来，马贩子被人害死，苏三被诬告成杀人凶手，县法院又被轻易买通，庭审时没什么程序，就是把苏三往死里打，屈打成招。

想想也是，不久前还和公子高山流水，转眼间变成了大刑伺候，能不觉得冤吗?

“越思越想越伤情，洪洞县里没好人。”

公元1987年4月，乍暖还寒。我背个录音机，出现在洪洞大街上。这一回上路，我踌躇满志，志在获奖，采访的主题是：洪洞县里好人多。

到了县里，受到极大重视，因为是中央台记者。

饭没吃，水没喝，我就提出采访，大家纷纷摆手，不忙，不忙，等王书记来了再说。

王书记是洪洞县一把手，开完会，风风火火赶来了。

屁股没坐稳就问，你准备采访什么?

白天采访，晚上听录音，屋里没暖气，瞅这境界。

我说，是这样，我是在中央人民广播电台综合节目部，办的节目叫《午间半小时》，新办的节目。新节目就要有新面貌，出奇制胜，还要有趣，让大家爱听……

王书记忽然开了腔，声调很高，多少年了，总是有一些无聊的文人来洪洞，说是要写什么，洪洞县里好人多。

我心里一惊，他怎么知道的。

王书记站起身，甩掉半大风衣，在屋里来回踱着步，洪洞县里当然好人多，哪儿都是好人多。六四年我们统计过，从洪洞出去的，县团级就有14,000人，副团级以上的有25,000人。五十年代的山西省长是这的，三国时曹操大将徐晃是这的，尧的老婆也是这的。

王书记又说，当然当代更是好人辈出，曹家庄许小虎，一人办了3个厂，农艺师赵葆秀培育了小麦良种，招城镇的王甲生培植了无蔓南瓜，甫剧团的王慧苗杏花奖得了第二名，甘亭纸厂的郭玉保，产品出口到尼泊尔和巴基斯坦，创外汇100万，还有开煤窑的那个农民叫什么来着？……

宣传部的人互相看看，不知道王书记说的是谁。

就是那个挣了钱，给全村每个人买了一台电视的那个。

这也太好了。

我忙说，王书记，这些线索够我忙活一个礼拜的。

王书记忽然用眼睛死盯着我，难道你也要写洪洞县里好人多？

我尴尬地笑着。

王书记这时显得很大度，朝天摆了摆手，多少有点无奈。说，写吧，既来之，则写之。历史的偏见，一个人说了句话，算不了什么。

我不知道，他说的是我，还是苏三。

王书记说，我调查过，苏三在这只接触了6个人。

说完，王书记要走了。到了屋门口，忽然想起什么，说，最近有个电影叫《保密局的枪声》，里面有句台词，你们保密局快成了洪洞县了。这是什么意思？

王书记走了，县志办公室林主任来了。

林主任比王书记严谨，抱着一摞县志，每件事都有案可稽。林主任说，王书记可能给你介绍了，总的来讲，古人这样评价洪洞，山川之秀，物产之良，人才之盛，风俗之美……

有人说，不出山西不知洪洞名声响亮，出了山西，才知山西洪洞伟大……

洪洞的名人有：中国音乐第一人师况，春秋时期人，“阳春白雪”就是他写的；樊哙，现在那村还叫樊村；还有救过刘邦的纪信，赵匡胤也是，尧舜和蔺相如也是。

等等，我叫了停，后面这3个也是洪洞人?我怎么好像在别处也听过?

林主任轻描淡写地说，有可能，游牧民族，四海为家。

再说，大槐树在洪洞，谁又敢说自己和洪洞没关系呢。

大槐树是什么意思?我忙问。

这回是林主任惊讶了，连大槐树都不知道，难怪。

林主任合上书，先吃饭吧，说来话长。

明朝洪武、建文、永乐年间，由于多年战争，中原地区经济凋蔽，人烟稀少，朝廷决定从山西移民。移民在哪朝哪代都是难事，告示贴出，无人响应。一个奸臣出了奸计，告示改成，谁不想移民，前来集合。这下热闹了，家家户户、扶老携幼赶来集合，这时风云突变，官兵们将人群团团围住，一根长绳连上了他们的手臂。中国历史上最残酷的大规模移民由此开始。

以后，这样的移民有9次之多，历时49年。

移民被迁往北京、河北、河南、山东、安徽、江苏、美国。

还有美国?那天听到这，我十分诧异。

林主任说，这是1982年收集材料时发现的，有信为证。如果算上移民，洪洞的名人就更多了。林主任不动声色，红娘的丈夫李岩，阎锡山、袁世凯、李大钊、刘绍棠。

等等，怎么回事?您说是李大钊，河北乐亭的李大钊。

天那，那是我妈的老家，如此说来，我也可能是洪洞人了。

我放下饭碗，凑近林主任，洪洞人还有什么特征?

一，当时集合是在县城北边二里地的大槐树下，移民们都知道这样的话：问我祖先在何处，山西洪洞大槐树。

这倒没听老家人念叨过，但家里人爱吃槐树花是真的。

二，怕这些人逃跑，官兵们在每人小脚指上砍了一刀，所以，从洪洞出去的人，小脚趾甲都是两瓣的，这叫“谁是古槐迁来人，脱履足趾验甲形”。

年轻的朋友来相会

这好办，晚上一洗脚就可见分晓。

三，当时因为手被串连在一起，所以谁上厕所就得让官兵解开，后来从洪洞出来的人就管上厕所叫“解手”。

完了，我就是洪洞人，我现在就想解手。

晚上洗完脚，我更郁闷了，你说一个人抱着病态心理看热闹，最后发现得罪的是娘家人，那心情该多么糟糕。

翻来覆去睡不着，第二天一早起来，脸色铁青。

陪同的宣传部干事小张知道我心病在哪儿，他说好多人都是高高兴兴来，郁郁闷闷走。

实习时，老师张德辉说，可以在白塔下许个愿。我心里想，要能分个好单位，女朋友吹了都行。

看着我一脸愁云，他说，你不就觉得苏三“越思越想越伤情，洪洞县里无好人”说得难听吗?

他看看四下无人，你知道咱们大槐树甫剧团怎么唱?

怎么唱?

“八恨九恨十来恨，洪洞县里没好人。”

其实，那个生性乐观敦厚、幽默善良的崇公道老人，也是咱们洪洞人。亏得他一路上照顾苏三，才保住了这女人的命。

那硬木做成的刑枷，有20多斤重，大部分时间都是崇公道背着。

崇公道身在朝廷，看破了红尘，颇有点我行我素的味道。

2001年，我被“美福乐”侵权的官司，在被拖延了22个月以后，终于有了哭笑不得的结果。

2月20日生日这天，一个记者拿着民事判决书问我，你认为这个判决公道吗？

喝了点酒，头晕乎乎的，眼前忽然出现了崇公道，老人一张笑脸，伏在我身边悄声说：

你说你公道，我说我公道，公道不公道，只有天知道。

右手一指是吕梁

离开洪洞，直奔吕梁。

有人告诉我，电影《我们村里的年轻人》说的就是汾阳那一带，高占武、孔淑贞的原型至今还在那一带活动。

紫家堝在吕梁山东麓，进了村，见了书记孔祥生我一阵阵失望。长的就是一般书记的样，比高占武差远了。

陪我去的廉铁华是本台安插在山西的记者，第二次来紫家堝，他对孔祥生说，祥生，给他讲讲老支书吧。

孔祥生不太积极，嘴里嘟囔着，没什么可讲的。我也是心猿意马，痴迷着老电影里的人物，心想，高占武泡汤了，只能赌一把有没有孔淑贞了。

天刚刚泛黑，孔祥生开口了，他把一个沉重的年代生生拽到了我的面前。

七○年，汾阳大旱。秋后交公粮，全公社12个大队支书挤在公社的窑洞里，烟抽了一天，没个方案。

紫家塬的支书靳禄柱生气了，这不是对国家的态度。他说，大家别犯愁了，30,000斤公粮，我们紫家塬全包了。于是，大家一哄而散。

交公粮以后，紫家塬颗粒无存，那一年，村里所有的树皮都被剥下来吃了，去别的村讨饭，人家还不给。

村里有人偷了青核桃，老支书押着他在12个大队游街，脖子上挂着牌子，自己敲着锣。

组织学毛选，大家肚子饿不想学，老支书知道了，抓个带头的，照例是12个大队的游行。

"四人帮"垮台了，老支书也下台了。

孔祥生当上了新支书，村里当时是满目荒山，人心不齐，连个姑娘也留不住，能嫁的都嫁出去了，村子里没了人气。

一些人蠢蠢欲动，他们觉得向老支书报仇的时候到了。

要把经济搞上去，先得把思想弄明白，先得干些实事，先得树几个榜样。

孔祥生自己干了两件事，卖果子的季节，他去太谷学了门技术叫贮藏，把自己家产的果子藏了一窑，还在自家地里种上了黄豆。人们看着直纳闷，别人都卖，你往家收，别人是吃啥种啥，你可倒好，瞎种。

来年打个时间差，一出手，村里人傻了，祥生一下成了万元户，村里人争相效仿。

经济好转了，该管生活了。孔祥生踏破铁鞋，愣是促成了16对姻缘。他把外村的姑娘都说成了紫家塬的媳妇，这是专业媒婆都干不成的事。他说，心诚则灵。

接下来就是老支书了。为了老支书和村里人的芥蒂，他串遍了全村 62 户人家，100 多孔窑洞。

说到这儿，孔祥生很激动。

我说，老支书怎么了，那年月，天安门上都有坏人，山里人怎能认得清?老支书是执行上面的命令，有错不该他一个人担着。村里树虽不算多，也是老支书带人栽的。前人栽树，咱们后人乘凉。村里有果树，老支书舍不得吃一颗果子，总是捡地下烂的吃，去公社开会，为了省 3 毛钱，他住店连被子都不要，公社谁见我谁说，你们老靳只抽烟头，常常是开着会就蹲在地上捡烟头，开一回会，捡的烟头够抽两个礼拜。现在日子好了，江山可是人家打下的，咱们这样，有良心吗?

孔祥生说到做到，他陪上老支书去太原看病，还救济了他 260 块医药费，100 斤麦子，50 斤豆子。

孔祥生还带人敲锣打鼓，给老支书家挂上了匾，劳模之家。还给病重的老支书胸前戴了朵大红花。老人那天特别高兴，戴着红花，照了平生第一张像。

6 月，老支书去了。

人们余恨未消，连抬棺材的人手都凑不够。孔祥生又一次受了刺激。

村民们说，祥生真是受刺激了，这点事，大会讲完小会讲，一讲就讲了 8 年。

又是一个 4 月，绿意浓浓，紫家墕人聚在山坡上开了个大会。孔祥生宣布，老支书的老伴从今天开始，每年享受 100 元补贴，这叫吃水不忘挖井人。享受同样待遇的，还有 34 岁就死在山上的植树队长的家属。那天的仪式很隆重，立碑、栽树。碑上的绸布一掀，请来的嘉宾副县长、武装部长、林业局长、吕梁电视台记者都凑上去看，碑文是祥生写的，初二文化水平：

我村田园初辟，迄今已有二百八十多年历史。荒山野岭之小庄，其名鲜为人知。数代人辛勤耕耘，仍难脱贫苦。解放后，靠共产党英明领导，人翻身，地起势，抓林业坚持不懈，赢来绿树满坡果盈枝。

抚今思昔向往未来，我们永远不能忘怀艰苦创业的先辈父老，不能忘怀以集体事业为己任的好干部，好村民。老支书靳禄柱，几十年如一日，为发展林业鞠躬尽瘁，堪称表率。多年任林业队长的邓映虎，也为林业生产耗尽心血。他们人虽故去，业绩长留。其为后人造福之精神，将永远激励村民子孙为建设家乡多作奉献。

紫家墕全体村民敬立

1987年4月

那天开完会，全村人一鼓作气，种了两千棵树。

我有个毛病，一激动就不爱吃饭，那天听完孔祥生的叙述，一点食欲都没有。

最初采访时，以为最佳效果就是对号入座，但很快就会发现，生活远比你的想象丰富，那经历传奇的程度，绝非职业作家妙笔生花所能企及的。

那种慨叹，那种由尊重而生发的悲壮从此植根在你的心底，永远涂抹不掉。天长日久，造就了你一个心房的模子，不管如何污染，过一回清水，就还原了模样。淳朴的乡下人敞开胸怀帮你打了底子，让你从容面对城里的险恶。

孔祥生作法的缘由和根据我一直琢磨不透，后来，在录制《对不起，老师》的时候，我听到了作家冯骥才先生的说法：“没有宽容，就没有忏悔。”

车队就要出发

1987 年 7 月底，我所在的《午间半小时》节目派一名记者去新疆军区采访，这个好差事，轮上了我。

从 8 月初开始，我们从乌鲁木齐出发，沿着喀什、轮台一路采访下去，到了叶城，已经是 8 月中旬了。

在汽车二十九团，采访开始前的气氛是轻松的。艳阳高照，树叶沙沙，隐隐传来的军号声和军营里特有的味道让我这个部队大院长大的孩子感觉格外亲切。介绍开始了，挤在会议室里的干部战士没什么区别，脸黢黑，手大而粗糙。藏在军人心中的记忆像风雪一样扑面而来。

1987 年在新疆边防采访。身后就是国门。

一个叫艾力的维吾尔族战士叙述得很细。

那天我们是单车执行任务，车上还有副指导员王志秀和助理员周世友。按计划，第四天傍晚，我们将赶到空卡。

第四天，离空卡还有 100 公里，

车坏了，我一直修到天黑，也没修好。只好在原地过夜了，这可是在海拔4,800米的山上，好在车上拉的是棉衣棉裤，我们又都套了一套在外面，棉袜子每人穿了3双。

第二天，仨人醒得很早，周助理说，死等不是个办法，离空卡100公里，咱们走着去吧。我们所有的干粮就剩下两块拳头大小的生牦牛肉。这时，天下起了大雪，还刮着风，走着走着，雪没过了大腿，7个小时过去了，我们才走了十几公里。没办法，又往回走。

第三天晚上，东西吃完了，谁也没话，谁都知道谁在想什么。

指导员先说话，他说，两位战友，不是我说话晦气，趁着还清醒，咱们该写份什么东西了。

我和周助理没犹豫，掏出笔就写了起来，籍贯、地址、亲人姓名、对家人的嘱咐。写着写着，周助理哭了，只有他有老婆孩子。

指导员检查了一遍，说，太简单了，好不容易死一回，咱们再合写一份吧。于是，我们就商量着，又凑了一份。

“我们是几个普普通通的战士，普普通通的人，在这海拔4,800米的高地上，静悄悄地死去。多么平淡啊，仅仅因为饿和冻。

然而我们自信，我们的死决不因此而降低价值，我们是为边防事业献身的，我们无愧，无所憾恨。

我们是清醒地镇静地等待着死的降临，饥寒能夺走我们的生命，但不能也不可能夺走我们的意志和精神。

风华正茂的生命突然终结这固然可惜，但我们的灵魂并不是裹着一层灰暗的色彩哀号着离开躯体的，这就是生命本身给我们的优裕的报偿。”

遗书写完了，我们托在手上，坦然地等着最后时刻的来临。

后来，同志们来了，副团长白如英带着人来营救我们了。

他看了我们的遗书，夸奖说，很有文采!

买卖不成仁义在

1988年，海南建省。我参加了采访团，采访心切，提前一班飞机到了海口，住进招待所，国际电台的陈立群也在那儿，俩人没事，一起上街逛。

街上椰树飘香，出租车一律是机动三轮，两块钱拉你到天涯海角。就是一扭脸的功夫，我瞧见一位阿婆戴着斗笠卖菠萝，这是我第一次看见罐头以外的菠萝。我常发烧，一发烧，妈妈就给吃菠萝，阳光晃着，好像妈妈又在说，来吧，吃点菠萝，两毛钱一块?咦，怎么还要钱，惊诧之间，妈妈变成了阿婆。

菠萝买了，阿婆嘴还不停，我听着费劲，陈立群走南闯北老油条，抹着嘴说，她问咱俩要不要汽车?我这还丈二和尚摸不着头脑呢，陈立群已经砍上价了。什么?一台皇冠100,000，刚才卖椰子的阿婆70,000我都没要。砍了几个回合，眼看成交无望，告别阿婆。

陈立群拉上我一头钻进街头大排档，要了一斤草虾，两盘青菜，一瓶啤酒。陈立群扶了一下眼镜，哥们儿，你是真不知道假不知道，现在可是全民经商啊。我说，就算全民经商，他们也不会有汽车啊。陈立群眼睛一瞪，怎么没有，下午我还去看了一辆，八成新，用草盖着呢。我说，哪儿来的呀?陈立群说，你外星人啊，走私的呗，逃了

1988 年在海南采访时，在椰林中佯装潇洒，后来，全身被蚊子咬出几十个包。

从这回来后，我开始学着做生意。

关税的，所以便宜。

在经商方面我是弱智，这和过去数学不好有很大关系。小时候，一个小子拿走了我 7 个心爱的弹球，玻璃花心的，他说他舅舅是秦皇岛弹球厂厂长，过两天来，到时候送我 4 斤。结果左等不来，右等不来，倒是秦皇岛我舅舅来了，他说，当地根本就没这么个厂。

那天下午，从陈立群嘴里知道了很多俏货，电子表、彩电、汽车、盘条、铝锭、新闻纸，真是商机无限、眼界大开。

接下来，采访团成员相继报到。大家登车，一路前行。车一停就采访，车一走就唱歌。工作、娱乐两不误，倒也开心。

印象最深的是《海南日报》派出的陪同，人高高大大，黑黑瘦瘦，每到一处都向接待方一一介绍，《华声报》被念成《花生报》，我们和《中国日报》老张打趣说，你冒充《瓜子报》得了。

老张也是个神人，戴着副高度近视镜，浑身散发着学问，有一天我向他请教，不认识的字怎么念?老张想都不想：有边读边，无边读上。去东山岭的路山道崎岖，目的地一到，大家集体去了厕所。方便时原本是无话可说的，老张偏发感慨说，再伟大的人也得尿尿。

采访团里必得有一两个神人，否则，路漫漫兮其修远，上上下下特没劲。去新疆时，《工人日报》老范最有意思，他下过乡，是文艺骨干，路上整个是当年的文艺汇演，什么“新盖的房，雪白的墙，墙上挂着毛主席像”，还有“天上布满星，月牙亮晶晶，生产队里开大会，诉苦把冤伸。”到了博斯腾湖，水天一色，野鸟纷飞，我们一肚子感叹发不出来，老范用当年一句现成的诗表述心情：

博斯腾湖啊，你像一只神秘的碗，

幸福的日子说也说不完……

海南不大，十来天完成了全部的采访，大家挥手告别，各奔东西。《华声报》陈典拉上我和王小伟去了深圳。

华侨城、蛇口、沙头角，对我们内地人来说，简直就是出国。

回到北京，一头扎进单身宿舍，深更半夜了，哥儿几个还瞪大眼睛听我神侃。我买了电子表、牛仔上衣、布料和一个重达两克的黄金戒指，一一展示给大家。

最后，大家一齐把桌子拍得山响，下海！下海！决心下定，东方泛起了鱼肚白。

魏明伦先生考证了“下海”的出处。

“所谓‘下海’，大抵源于传统戏曲《夏得海》；与另一折子

我很得意这张在海南拍的片子，起名为“笑傲江湖”，看过的人都说，瘦劲像江湖上的人。

戏《人得山》相映成趣，人山拿虎，下海捉蛟。

话说水怪兴风作浪，糊涂县官异想天开，欲派人下海谈判。恰巧衙中有一差役名叫夏得海，遂被老爷定为下海的最佳人选。差役被迫，写好遗嘱，喝得烂醉，下海送命。不料歪打正着，感动龙王，助其完成了昏官老爷交办的任务。

'下得海'在戏文里是荒唐、无奈、冒险、侥幸的混合意思。"

如此推论，下海是必死无疑，能留住活口也是瞎猫碰上死耗子。我注意到文化人深谙此道，他们发给魏明伦文化经济公司的贺电无一不透着无奈和悲壮。

"起来，不愿做奴隶的人们，把我们的血肉，筑成新的商城！

下定决心，不怕牺牲，排除万难，去争取生意！"

这是沙叶新的想法。

"自己搭台，自己唱戏。"

这是冯骥才的感慨。

"川江东去，法门万千，天府云祥，人生大境界也！"

这是贾平凹的……意思。

文化人想挣钱，貌似难开金口，其实底气不足。

当年就明白自己是国家工作人员，拿着工资，做生意是违反纪律的，明修栈道没戏，只能暗渡陈仓。

首先发愁的是货源，那时是不计出身，不唯学历，不论年龄，不管长相，只要有货源，就对你刮目相看。

一次我和一个瘦子记者打扑克，他用两个A闯牌，我拔出一对“2”正要下狠手，只听他轻声发问，有人要彩电吗，登时缩回了手。一打听，他舅舅是福建电视厂厂长，有彩电200台让外甥倒倒手，怕我们不信，他当场和舅舅用闽南语通了话。

货源有了，打牌就一点意思没有了。我们当下开始联系买家。在彩电紧俏的时代，找买家比找对象容易。

买家联系好了，睡觉难了。算算，这单生意净赚200,000左右，按最坏的打算我也能分到50,000，当时我的工资还不到100元。

躺在床上，我浮想联翩。

记者是不打算干了。自行车一定要买一辆新的，要那种红跑车。给大哥、二哥一人再买一辆，他们当兵的时候一个月挣7块钱，还分给我1块。上大学后，二哥每周去学校帮我洗衣服。带我下饭馆，点一盘炒菜，菜都捡给我，他自己用菜汤拌米饭。

二哥人很抠，但对我从不抠。

给姐姐买一块手表。姐姐当学徒工，一个月挣19块钱，拿出5块给我订杂志。

给母亲买一车好吃的，给父亲买一瓶茅台。二老费尽心血，抚养4个儿女。

两个张叔叔也该好好犒劳一下。良乡的张叔叔对我最好，家里养的鸡下个鸡蛋都给我拿过来，卫生所的张叔叔风里雨里，随叫随到，给我看了20多年病。也怪了，甭管多难受，看见他，病就好一半。

再添两瓶茅台。

陈胜说，苟富贵，无相忘。一次我问炊事班的小白这是什么意思，小白从湖北来，说话铿锵有力，狗富贵了互相都不忘，更甭提咱们人了。多年来，我一直铭记陈胜和小白的教诲。

那天晚上，我送出去了50多瓶茅台才昏昏睡去。

第二天一早，太阳高高升起，湛蓝的天，雪白的云，心情真好。

我坐在床边定定神，想起大学同学梁悦的名言："钱不到手不是钱。"就决定还去电台上班，相机行事。进了大门，办公室没去，直接去找瘦子，屋里人说，瘦子出差了，一个月以后才回来呢。当时我脑子"嗡"了一下，血冲了上来。

后来就习惯了，经常嗡嗡的，有两天不嗡倒不适应了。有些货现在同龄人听起来也是耳熟能详：燕山石化的500吨聚氯乙稀，沈阳军区大院的200吨铝锭，山东莱阳的1,000吨盘条，吉林石砚的300吨新闻纸，北京、天津各1,000台彩电，海南、延吉各200辆皇冠汽车……

转眼间这些都臭了街，弄潮儿已经换了口风，比如核酸，镍板……

有一次，苏小山骑着自行车到我宿舍，非和我商量把从苏联弄来的20个反坦克导弹存在我床下，我死活不同意，这要是被当局发现了，还不当塔利班对待。谈判未果，苏小山很没面子，临走时还扔下一句，办不成大事，看我们班郭建兵，答应帮我腾一个操场放图—154呢。

下海的运动来也匆匆，去也匆匆。风头很快就过去了。虽然一桩正经生意也没做成，但道理还是悟出了一些。

首先，应以诚信为本，欺骗、造假是商界大忌。温州、石狮、晋江曾经以假冒伪劣集散地著称，现在依然为过去偿付着重债，那里的企业家们为证明自己已是清白之身，他们将付出高昂的代价，早知今日，何必当初。

第二，经商更要中规中矩，当年多少风云人物呼风唤雨，转瞬成为过眼烟云。图一时之便宜，享一时之快乐，最终是人财两空。还是陈毅元帅那句话说得准：“手莫伸，伸手必被捉。”

第三，要给自己定好位，千万别找不着北。人无全才，不会行行领先，不会样样顺手。要懂得见好就收，要知道激流勇退。普通的日子是最好的日子，从从容容才是真。

第四，……

列位在商海上下沉浮，经验远比我老道，说句祝福的话，请好自为之。

不久前，去八一电影制片厂联系业务，天下着大雨，厂里人说，你看看我们厂，这么好的盘条就在外边扔着。我说，什么?盘条?

我和盘条

大雨里，我站在盘条前一动不动。

大家说，走吧，别淋着了。

我抹了一把脸上的雨水大声说，别管我，多少年了，你就让我看看什么是盘条吧!

人在江湖

这是陪童话大王郑渊洁演讲后的留影，后面是他的坐骑夏利。

他人骑大马，我独跨驴子。
回顾担柴汉，心下较些子。

——(唐)王梵志

童话大王

1986年，偶然结识了郑渊洁。

那时，他已经被罩上了童话大王的光环，在这件事上他并不谦虚，从未见他推诿过，他觉得自己就是童话大王。《童话大王》是一本杂志，专登童话，每期40,000字，都是郑渊洁一人所写。一次我俩喝啤酒，两杯下肚，我说，我能不能也写几篇登上，郑渊洁说，绝对不行。

童话是郑渊洁的天分，也是他的谋生手段。

他自己的活法就跟童话里人物差不多。

他说自己小时候很爱在家玩，可妈妈偏把他送到幼儿园。一路哭着去，到幼儿园门口，他立即不哭了，飞也似地跑到幼儿园另一端的墙角，那儿有个墙洞，可以看妈妈最后一眼。妈妈走过来了，顺嘴还要说一句，听话啊。

所以，在相当长的时间里，郑渊洁都想，有一天当了国家主席要把所有的墙都拆掉，至少要把墙上的洞搞大一点。

上学了，郑渊洁感觉被关进了更高的墙，当兵后也是。在高墙里的人很容易想入非非。铲煤的时候，他常常下巴拄着锹把，望着蓝天发愣。

别人问，干嘛呢。

他说，想童话呢。

别人说，神经。

郑渊洁口头表达一般，所以他仇恨那些会滔滔不绝拍马屁的同学，恨之入骨，他童话里的反面人物和那些拍马屁同学同名同姓。

而他童话里正面人物的姓名生活中不大可能有，分别叫皮皮鲁和鲁西西。这两位身上缺点不少，也摊不上太多好事，看上去有些可怜，这和郑渊洁幼时的遭遇基本一致。

好不容易熬到自己娶妻生子，郑渊洁痛定思痛，他做了个大胆的决定，不让儿子去幼儿园，因为幼儿园的墙还没拆。6 年后，依据同样的理由，他又做了更大胆的决定，不让儿子上学。

大家都说郑渊洁疯了。

郑渊洁说，不上学不一定学不到文化，他请了两个有经验的老师在家教孩子，把上学改成了上私塾。

有一天他神秘兮兮地跟我说，我儿子的语文教材是我亲自编的，编得太好了，我都不让老师带走，怕他泄露给教育部成了全国统一教材。我俩关系很好，他也不让看，我猜想是童话凑成的一本教材。

我看他写的《猫老鼠历险记》，掉了泪。

猫和老鼠也要和睦相处，有这样念头的人肯定是理想主义者，理想主义者碰壁的机会相对就多。

有一次在前门饭店开研讨会，他去了。听说比这重要得多的会他都懒得去。轮到他发言，一阵慷慨激昂。他说盗版害苦了他，他的全集征订数为零，新一期《童话大王》还没写完街上就卖开了。他去抓盗版者，盗版者请来当地公安对付他。新闻出版管理部门的人借他的书稿看，不久盗版书就上了市。弄得他谁都不敢相信。那天主办者岔开了他的话，写东西的，谁还没被盗版过呢，但郑渊洁觉得不一样，因为他没别的手艺。家里连人带狗，就指着这点稿费过呢。

开完会，他拉着我去了方庄，在一个报摊上轻易买到了盗版的《郑渊洁童话》，他说他马上联系有关部门来抄这个报摊。我看到那个 40 多岁的女摊主一脸的艰难，就说算了吧，她也不容易。郑渊洁马上回敬道，我容易?我每月连化粪费都得交，少一分也不行。我跟收费的叫板，以后我直接排泄到野外，不用你们化。

我忽然发现郑渊洁头发花白了，因为毒火攻心。

我刚认识他时，英气逼人，甜蜜的生活就写在脸上。

他会打电话说，去买一本最新的《童话大王》，我把你写进去了。说的是鲁西西遭记者围追堵截，她只接受崔记者的采访。

他请我们吃药膳，那时我们还是煎饼果子的命。

他加入了最早的收藏一族。他集罚款单，新加坡的、韩国的都有。有一次在家整理罚单，发现没有宣武区的，就骑上摩托直奔宣武找一个红灯闯了过去。恰巧交警一扭头没看到，他干脆直接骑到交警面前敬了个礼说，对不起，刚才我闯红灯了。交警盯了他半晌，有病吧你，该干嘛干嘛去!

那时我们还都是自行车一族。

他先走了一步，就先苦恼了一步。

一次，一个学校的校长不知道从哪儿听说了我认识郑渊洁，死活让我请他去给学生演讲。我没求过郑渊洁，他答应了。一进学校礼堂，掌声雷动，整个讲演过程，学生们乐得前仰后合，他讲的内容严重背离教学大纲。离开学校时，校长虎着脸说，不送了。

我做了主持人，他很高兴，在一则童话里说，崔永元是中国最好的主持人。

没人信，以为还是童话。

我也要说，郑渊洁是中国最好的童话作家。

不信，你找一本他的书看看。好买，几乎每个卖盗版书的地方都有。

魏 伟

魏伟是我的另一个朋友，他和李晓光的婚礼是我主持的。

1987年我认识他时，他正学做生意。那时候，我没名，他没钱，朋友处的就是个感情。

几年以后，他挣了些钱，血汗钱，从广州倒腾电子表、录像机，挣个差价。还开了小卖部，卖烟酒饮料。

有钱了，他在我面前炫耀，戴了一个黄澄澄的金戒指，

魏伟手势的意思是，做生意最好有双倍的利润。

还说，挣钱其实挺没劲的。我问他听说没有，出录音歌带能发大财。他信了，投资30,000元让我做歌带，我是大姑娘上轿头一回，先投石问路稀里糊涂赔了几千块钱，好在后来朋友介绍了大腕孟卫东，用余下的钱做成了这盘歌带。

有位哲人说过，要想别人热爱，先得自己喜欢。于是我选定了自己酷爱的老电影歌曲，准备弄个大联唱，像《宁死不屈》、《南江村的妇女》、《摘苹果的时候》《一个护士的故事》、《金姬和银姬的命运》、《万紫千红》、《中国医疗队在坦桑尼亚》、《红旗渠》、《沙石峪》等等。

按说演员的阵容足够强大，董文华、阎维文、宋祖英、张也、江涛、胡晓晴、张伟进。

带子做好了，信心十足。但母带至今搁在家里，没人要。

见到魏伟的时候，我深感歉疚，他安慰我，没关系，我找路子卖掉。这回踏实了，以后每次见他，倒是我先发问，怎么还没卖出去啊。

一年以后，他说他决定了，咱们压两张CD，一人一张得了。

压CD的钱也是他出的。

魏伟做生意的很多观念我都不赞成，他说我外行，他也为我的节目改革提了很多建议，我也没采纳。

有一次，我俩去东北，刚要走进一个高档餐馆，路边钉鞋的老汉喊我"老崔"，我走过去，坐在他面前的马扎上。老汉边给别人修鞋，边和我天南海北聊着。

这一幕让魏伟感动了，他说，你还真是平民主持人。他喊你老崔很顺嘴，你和他聊天也聊得来。

接下来他说，其实一个老百姓装大腕和一个大腕装老百姓一样累。

他最后这句话让我感触很深。平民不是一种生活方式，而是一种心态。平民也可以吃海鲜，买汽车，穿贵的衣服。有平民心态就会善解人意，有宽容之心，听得进不同的声音。还能经得住大起大落，不在高处威风八面，也不在低处奴颜卑膝，老百姓爱比喻自己是块砖：

“砌进大厦不骄傲，垒进厕所不悲观”。

你身边的朋友总是不经意间让你受益。

立　军

立军是朋友的朋友的朋友介绍认识的。

和立军一起细心地鉴别老年画的真伪。后来，有内行告知，这玩艺不值得仿冒，没假。

立军是商人，所以和他认识时我留了个心眼，老话说，无商不奸。

后来我们成了很好的朋友，是因为我看到他的生意做得太难。他想开个买卖，兴高采烈，手拿一叠纸挥舞着对我说，瞧，所有的手续都办齐了。再看到他时，却是沉着脸，捧着电话四处求情，局长认的手续，处长不认，处长认的手续，科长不认，等到科长认了，具体办事的 3 个科员还有 8 个心眼在那等着呢。买卖就是开不了张。

立军做生意，我做主持人，专业不搭界。在一起也就是谈谈奇闻趣事。在办公室坐一天累得很，谈谈天放松一下紧张的神经，每到这时，我发现他一天也挺累，真是隔行如隔山。喝一点酒，立军话就多。话题总是在生意场上，谁坑过谁，谁卷过谁。每次听完我都庆幸，自己适可而止，没一头扎进商海里。有一次他又旧话重提，我问，既然这么黑暗，你干么不上岸呢?他长叹一声，身不由己啊!

我常看报纸上关于企业的宣传，我也听立军介绍他了解的真实情况。两下一掺合，我知道的企业和真实的企业差距就不算大。

赶上企业里有人来节目中做嘉宾，我提几个问题，来人就知道我摸底，于是不在装假，一五一十地道出来。

立军最近很忙，为了自己的生意，他要不停地请人喝酒、吃饭，轻而易举就醉了几次。

他让我帮着想,怎么让这个人说服那个人。因为那个人不那样做,立军的生意就干不好。

我说,立军,你也没错,干么不理直气壮?

立军说，他要不批你，有一万个理由。

说起来很难，可立军乐此不疲，他说中国的生意就是这么个做法。将来进入 WTO，立军他们可怎么办?

混在报社

在报社时，办公室被我弄成这个样子。

地之险易因人而险易，无险无不险，
无易无不易。

——李筌(唐)《太白阴经》

大学毕业闹了场肄业风波，结果阴差阳错分到了中央人民广播电台的节目报社。报到后回到家躺在床上睡不着，心想，人要是不顺，喝口凉水都塞牙。

有长者谆谆教导，广播报很重要，听众不经报纸的指点，怎么分辨哪个节目好。每次，我都会把长者一竿子顶回去，重要?重要你怎么不来干?

九七年，我主持一期《实话实说》节目叫“新春心愿”。一位来自济南的炊事员小伙对领导的不重视耿耿于怀。

我问，你怎么知道不重视?

他说，每次领导讲话，都会说上至主要干部，下到炊事员，你听，这不就是最底层吗?

混在报社时不好好工作，打扮时就用了些心思，看上去很美。

我很理解他，因为我俩有同样的际遇。

开全台大会，逐个部门点名，就是没有节目报，顿觉低人一等。更有甚者，直接闯到办公室，扯张报纸去包带鱼。不认同你的工作不说，还顺手把人也侮辱了。

过去宣传，总爱提刘少奇主席接见时传祥，说革命工作分工不同。其实，这件事说的是刘主席平易近人，丝毫不影响社会上把人和工作分成三六九等。

我还听过胡志明的故事。

他拿着一只小巧的怀表告诉大家，怀表是由多个零件组装而成的，即使是个小零件也有自己的作用。

更绝的是，胡志明说到这儿，随口就能列出全国、全军闻名的模范饲养员、炊事员的名字。

在报社时，周末我们把办公室腾空开舞会

由此可见胡志明的惊人记忆力和巧妙的工作方式，同时，对我们友好邻邦越南保留的看人下菜碟的习俗，也略知一二。

不知被轻视的那部分越南人如何排遣自己的郁闷。

我的办法简单，有苦水回家倒给妈。

母亲是最好的倾听者，每个母亲都对自己的儿子有最大的耐心。

我母亲常年做居委会工作，政治思想工作有一套。她一张嘴，就让节目报升了格，嗐，别瞎想，节目报怎么了，总比要饭的强吧。我父亲是部队的政委，政治思想工作该是他的饭碗，可能是干多了，顶了，离休以后他不太喜欢言传，开始琢磨身教。他像邮递员一样把我办的报纸塞得满院都是。

有一天刮大风，两张节目报并排在天上飞着。

八五年八月到广播报报到。看到编辑记者们在长安街旁，这座五十年代十大建筑的楼中穿梭，很是羡慕。广播节目报就惨多了，挨着“十大建筑”盖排板房，十几口人挤在里面办公。

说实在话，当时我走上邪路的可能性非常大，因为我觉得没劲。

报到第一天，社长找我谈话。他先介绍了报社的成长历程，以前叫《广播电视节目报》发行180万份，现在分家了，我们叫《广播之友》报，发行25万份，你来正赶上好时候，我们马上改大报，对开四版，名字也响亮《中国广播报》，你小伙运气怎么这么好呢!

五谷杂粮吃着，谁没点虚荣心。听说有中国两字，我心里一下好受了很多。

年轻人情感转移得快。我很快就适应了报社的生活：约稿、画版、校对、去印厂、卸车，一个流程干下来，一周还挺紧张。

大家在一起说说闲话，聊聊天，下下象棋，打打扑克，半年不知不觉过去了，感觉像3个月。

有时看着年轻伙伴戴着套袖出出进进，心中生出一种暖暖的感觉，就在这儿退休也行。

人，坏事就坏在个虚荣心上。

一个班毕业，谁也不比谁差，别人天天四处采访，骄傲地宣称，我是中央人民广播电台的记者。事后，还拎一袋礼品回来。他们可以走遍祖国大地，每到一处，顺带游山玩水。甚至遨游异域他乡。我呢，只能在木板房里死扛。

我因此而心理严重失衡，怨气冲天，发泄方式也愈发无聊。一天，我在一张大白纸上画了张巨型邮票，下面写着"中国扯淡邮票公司·8分"的字样，正自我欣赏，乐不可支，领导悄悄站在我身后，吊着脸问，扯淡是什么意思?我说，扯淡就是扯淡呗。他大吼，办公室不许扯淡。说

这就是那个小团体。

完摔门而去，我麻利地掏出笔，改成“中国不扯淡邮票公司”，还是8分。一会儿，头儿回来了，一把撕下大邮票，愤然扔在地上，脏话连篇，我不甘示弱，以牙还牙。

无聊竟然也能让人筋疲力尽。

周末，几个年轻人想聚会一下，放松一下心情。头儿却分别谈话，告诫不要搞小团体，心里感到冤屈，更加郁闷。

梁悦看我可怜（他在新闻部），拉上我去了体委训练基地，那时是第二届中国围棋擂台赛，中方拼得就剩个聂卫平了，我们在体委东打听西询问，居然在一间屋里逮到了正在和队友下军棋的老聂。不光对了话，还拍了照片，大功告成。

梁悦拒绝了我想给广播报发独家的想法，他说，新闻就得快，转手给了《北京晚报》，隔日就白纸黑字登出来，题目是《夜探军营》。自己的名字印成铅字真帅，我从几个角度欣赏了N遍。

等到自家报纸发表之前，我和梁悦好一番动脑筋。3根烟之后，我一拍桌子，有了！就叫“聂卫平，开门吧！”因为大家都知道老聂现在闭门谢客，我们取他开门迎战的意思，顺便借用一下阿里巴巴芝麻开门的寓意，表示会有意外之喜。梁悦为人节俭从不夸人，那天都说，绝了。

下午，头儿在大样上改了个一溜够，发回一看我就炸了，内容先不管，题目成了“聂卫平，拚搏吧！”没的说，去跟头儿吵架。

由于双方的意气之争，使两种业务观点的分歧，变成了两个阶级、两条路线之争，更加势不两立。

后来，电视台的新闻评论部采用了新的运作机制，我概括为用人之长，我搭台，你唱戏。年轻人一进来，个个咄咄逼人，人人觉得自己是当台长的料。我第一天到中央人民广播电台上班的时候，一进北大门心里就想，我来了，这回电台有救了。评论部的办法是你有想法，让你实现，海阔凭鱼跃，天高任鸟飞。加上电视工作是多工种合作，你的十分想法，摸爬滚打下来，能实现七分就算不错了。所以过不了多久，每个人都觉得力不从心。我亲眼看到一年轻朋友浮躁着进来，干了半年，总结的题目成了《笨鸟先飞》。

九五年，我们一帮人聚在一起，鼓捣一大型栏目《真实再现》。纪录片+故事片的制作手法，分成5个组，结果个个翻了船。那天总结会上，我从没见这群人这么踏实过。好像是站在珠峰顶上，忽然悟到了自己的矮小，步履沉重起来。

干《实话实说》以后，天天绷在心里的念头都是“知耻而后勇”。不是科班出身，什么都不懂，混到今天连电脑打字都不会，一个字一个字地写书。更苦的是敢到演播室的嘉宾都是才华横溢，不要说对话，能听懂对方说什么就不易，毕竟隔行如隔山。我向毛主席保证，干上《实话实说》以后，就没怎么骄傲过。

再看看我的同行，敬一丹是硕士，方宏进专攻经济管理，水均益说外语不用动脑子。所以，我觉得从新闻系万金油科出来的我，真是一穷二白。

2000年第一天，我和水均益做直播，早晨8点钟看见赵忠祥夹着一叠资料走过来，一打听，是为晚上的维也纳新年音乐会做准备。从一开始转播新年音乐会就是他老人家解说，年年都是施特劳斯家族的曲子，这么多年过去，还是一丝不苟，精心准备，我和小水顿生敬仰之情。

电视台采用的是放飞式管理方法，一介乳鸽与苍鹰并行翻飞，一争高低，不怕你不喊力不从心。

而电台采用的是笼养法，食不多，肚量更小。自己每况愈下还爱翻着白眼说，燕雀安知鸿鹄之志哉？

广播报有一老编辑。人老实，也很有才气，一次我们要唱二声部《耶稣圣诞歌》，求到他，老花镜一戴，刷刷，曲谱就写了出来，一招鲜吃遍天呢。

可头儿却让他管报社的暗房，完全不是量才适用。老同志都好个节约，他管的显影液、定影液长期不换，像纸还买过期的，弄得我和女编辑钻进暗房就几个小时出不来。牢骚话听着都可疑，这得泡多长时间啊！要不你再泡一会儿，我出去抽根烟。

我曾想，如果让这位老编辑走出暗房，施展写作方面的才华，报社无疑多一支生花妙笔。但却无人提及。

1986年底，《午间半小时》筹备，我削尖脑袋，钻营进去。回报社收拾东西的时候，有种虎口脱险的感觉。内心也涌出一阵阵酸涩。多少人在节目报社默默无闻地奉献。我向他们致敬，也希望他们理解。人各有志，事情都是相对的。你说皇帝好不好，并非人人想当。你说要饭惨不惨，真干上了，给个县长未必换。有一种东西，盛饭的时候叫饭盒，扔在地上就叫白色污染。另一种东西，文化人叫它有机肥，老百姓就叫马粪。

遍地风流

我说，克文，咱们照张像吧。克文说，这就对了。

出入皆鸿儒，
往来无白丁。

——刘禹锡《陋室铭》

老 白

1987年5月7日，大兴安岭着了大火，1988年1月我去采访，奔的是灾后第一个春节的主题。

刚到哈尔滨就被同行讥笑，穿这么单薄，还想去大兴安岭，上火车的时候，已经换上了别人的棉袄，棉裤和棉鞋。

火车走了一夜，到了加格达奇，按照约定，直取黑龙江人民广播电台大兴安岭记者站，站长是老白。

找到了老白，老白正打牌，头都不愿抬。

人家告诉老白，中央台来人了，老白说，告他们政治局正开会呢。大家一阵哄笑，老白抬了头，哎哟，真是中央台呀，忙起身，这么冷的天，还来大兴安岭呀。东北人把“还”读成“害”。

这就认识了老白。

老白特点是自来熟，我们也不客套，老白边起身边问，中午吃啥，酸菜呗。那阵，东北话风行，姜昆相声里说，国宴是猪肉炖粉条，可劲造，一时间家喻户晓。

老白爱唠嗑，三下两下就说到自己怎么来的大兴安岭。随部队来的，那时候林子密，部队上自己养猪，半夜猪叫，肯定有事，抓起枪，拿上手电就冲进夜幕。以为是土匪呢，你猜是啥，熊瞎子。熊瞎子抱着我们的猪正啃呢，我一挥手，一阵排子枪，眼瞅着熊瞎子倒下了。大家要围上去，我一挥手，撤。熊瞎子装死有名，我不得不防。第二天早上去看，不赖，熊瞎子真被打死了，这回有熊掌吃了。猪的损失倒不大，就是鼻子被啃平了。

我们哈哈大笑，老白不动声色。说话间，饭菜上了桌，老白招呼道，吃吧，没啥好的，吃饱，明天带你们去看狐仙。

你可以找找感觉，冰天雪地，你一路前行，找到了一个人，像你的亲人，那种心里踏实的感觉真好。

老白说的狐仙，就是狐狸，人工养的。老白偏说，不是狐狸，狐狸眼中无神，你看这些狐仙的眼睛，风情万种。

又过了几天，我基本上理清了老白的思路，苦中作乐。他的独特的表述是他对生活的理解和热爱。不爱，天寒地冻的，呆不了这么长时间。以后，我去采访边防哨所，井下的矿工，远洋船员，这种感觉更深。

采访回来，坐在吉普车上摇摇晃晃，昏昏欲睡。老白怕睡着受冻，就挑起个新话题，听说过四种秃子，十种人没有？

我们顿时来了精神，听老白一一道来。

四种秃子

一种秃子秃得妙，
火车司机吓一跳，
司机以为是冒进信号，
原来是秃子过铁道。

二种秃子秃得妙，

仓库保管吓一跳，
以为扣着个大花碗，
原来是秃子在睡觉。
……

十种人

一等社员是支书，
扒了旧房盖新屋，
姑娘儿子都外出。

二等社员是队长，
喝完这场喝那场，
醉完就往炕上躺。

三等社员是支委，
大事小事都插嘴，
家里外头跟着美。

四等社员会计员
吃得好来穿得全，
家里不愁零花钱。

五等社员保管员，
五谷杂粮吃得全，
小猪喂得溜溜圆。
……

老白总结说，这玩艺，不能不信，也不能全信。老百姓好用这个发牢骚,当官的也别不爱听,这里面有民意,有时候说得很准。

以后我去采访总爱顺口问一句,你们这儿有民事顺口溜吗?

哈尔滨有个“三五”干部：

打麻将三天五天不睡，
喝茅台三瓶五瓶不醉，
下舞池三场五场不累，
干工作三年五年不会。

甘肃的顺口溜讽刺烟卷质量差：

顶着风，点着灯，
别人说话不吭声。

走街串巷收破烂的，也编了充满乐观主义的对子，表达自己小富即安的心情：

一部单车两个筐，
收入超过胡耀邦。

有的顺口溜确实切中要害，听听这首说干部下乡的。

坐车转一转，
乡里吃顿饭，
不是吃鸡鱼，

就是吃肉蛋，
发言剔着牙，
汇报合上眼，
上车挥挥手，
困难下次见。

采访的时间长了，我也亲眼见过这样的干部。

有一阵，记者风行拿红包，很快就听到了：

防火，防盗，防记者。

据说，这是经济比较发达的广东地区流传的。

有的顺口溜反映的是《焦点访谈》关注的问题：

一级一级往下念，
念到下面不兑现。

还有：

别看厂子小，
出门坐蓝鸟。

别看公司不赚钱，
经理有辆大丰田。

不管官多大，

都买桑塔纳。

无论哪一级，
都要坐奥迪。

没钱靠贷款，
也不坐国产。

最新听到的一个是描述场面的：

左手菜刀，右手白菜，
以为自己是“东方不败”
一打听，
原来是傻瓜第二代。

老白一笑，嘴里牙已经不全，很像后现代主义制造的

慈祥宽和的老白

画面。

谈起大兴安岭火灾，老白脸上笑容全无。

老白身体不好，咳个不停，介绍青年记者刘德军陪我们去漠河采访。漠河比我们想象的要冷，采访的时候，录音机居然冻得不转了。一个林场的宣传部长接受我们采访，说他按照上级的部署，安装有线大喇叭，得罪了不少人。着火那天，街坊四邻全跑到河边去了，他的老婆、女儿在炕上没动地方就被烧死了。

他说，林场里母猪生了一窝小猪，着火时，母猪舍不下小猪，在圈里不动。后来，一只大狗硬是咬着这窝猪扶老携幼跑到了河边，狗救了猪的命。宣传部长叹了口气说，人要是无情无义，连狗都不如。

我想起那天晚上，谈起火灾，老白说一句，复杂啊。

果然，几乎每到一处，都有人拿着告状信、申诉信找我们，每一件事听起来都惊心动魄。

见到大火的人说，那天是一堵火墙，从左到右，从天到地。

烧过的林子，坐火车走一晚上，全是黑的。

火走得快，树皮燎黑，剥开，里面是白的。林区人说，春天一到，虫灾就来了，解放军正在抢运火烧木。

上级指示已经来了，不许用木头去换东西。好多林场没听，烟、酒、食品已经换回来了。听说中央来了记者，估摸和这事有关，有人喝多了酒来找我们，进门就说，惨那，家里人都烧没了，换点东西过个春节，行不?

我坐在那儿发愣，什么也说不出来。

等回到加格达奇，又感受到老白的温暖，我刚当记者两年，好多事弄不明白。老白说，都不容易，说点大兴安岭好吧。

走那天，老白送我们到车站，边走边说，说走就走了，挺好的小伙儿，啥时再回来呢?

后来过了几年，老白听说我认识电视台的人，就打来长途电话，大概是哪个单位分房了，问能发条片子吗。我打听一下，人家说没新闻点，发不了。老白说，合着不着火就上不了新闻。

再后来有一天，刘德军打电话过来，说，老白死了。

老白得了病，医治无效。

我心里特别难受，挺好的一个人，说没就没了。

老王

老王叫王克文，熟悉以后我们就喊他克文。

1987年5月我认识他的时候，他是延安地区文化馆馆长，现在还是。

老王的拿手好戏是谈陕北民歌。见面那天，从红日高照谈到日落西山，一直到人在对面看不清，忘了起身去开灯。

我听老王谈民歌，谈到了天黑。

老王的口头语是，这就对了。

我表示对民歌感兴趣，老王说，这就对了。

他说，他对民歌有好感，起源于他家五七年请的保姆，来自甘泉县，没名字，脚小，大家都喊她“小脚老婆”。小脚老婆扫地、抹桌子都哼着歌，吃完晚饭，左邻右舍挤到热炕头上听她唱歌。克文说，我趴在她腿上，歌声可凄凉呢，“哥哥你走西口，小妹妹实难留，紧紧拉着哥哥的手，送到小村头……”

克文说，听着浑身不舒服，好像什么东西缠着心，想跑，又跑不了，小脚老婆用歌压着我。

我听到“压”字，觉得很传神，后来就不断听到克文嘴里迸出传神的字眼。

他说，有几个曲调，现在还掌握在我手里呢。

上次省里来人不信，我就放出来一个：

老牛那个拉车哟，
哎赫拉拉地铃，
我把那个苏三姐哟
哟哟哟哟哟哟搬起个身。

老王特意说，是七个哟。

陕北话把“身”读成“生”，这样一来，和上一句的“铃”押上了韵。

省里人说，真没听过。

老王掌握了三千多首陕北民歌。都是一首一首从下面收集来的。他说，陕北人可把这个当事。有一次在一个村里，一个歌手给他们唱，唱着唱着忘了，怎么也想不起来，等他们都离开了，那歌手追了20里路，把歌给续上了。

陕北人所有的喜怒哀乐，所有的心思，都用歌来表达了。

子长县南沟岔乡的谢占魁是老红军。去他家时，他把红军证明托在手上让我们验，证明已经裱了十几遍，又厚又沉。他还拿出自己的旱烟让我们抽，用借来的杯子接水给我们喝。等到唱起酸曲，陪同的两个女子咯咯笑了几声，老人不唱了，一会儿就流了眼泪。

叫一声同志你不要笑，
老汉的文章并不高，
给你们唱还唱不了，
唱到个沟儿洼里了。

到我们走时，老人一拐一拐地送，走出好远，歌声又响了，回身看，老人站在高坡上，是个剪影。

同志们，笑盈盈，
对我老汉真关心，
健强同志们身体好，
帮助我老汉解困难。

老王喝了口水总结了一下，我认为，在延安，男人多重义，女人多重情，男人办事信得过，女人感情火辣辣。

他说，出了事，都是女人顶着，有歌为证。

俩人正偷情，外面有脚步声，男的怕了，女的唱：

叫声哥哥你不要怕，
大不了人头高竿上挂，

叫声哥哥你不要抖，
大不了躺下来两颗头。

表示铁了心这样唱：

哥哥妹妹不离分，
铁锯子割不开咱两人。

表达热恋时的心情这样唱：

听见哥哥唱着来，
热身子扑到冷窗台，
听见哥哥脚步响，
一舌头舔烂了两块窗，
忽忽啦啦跑出来，
光着脚片子手提着鞋(读“hái”)。

绝了，就是幅画。

克文也是爱捡乐的人。弟弟文化不高，张嘴就爱露怯，看着窑洞里的画像说，哥，你看人家苏联净出能人，马恩列斯。

克文要写陕北民歌方面的书，书名叫《陕北民歌艺术初探》弟弟一听，来了情绪，太好了，是破案的吧。

弟弟八三年元月被醉酒的司机撞死了。那天说到这儿，克文哭了。家里穷，死前几天，弟弟还捡烟头抽呢。

克文的书终于写出来，名字就叫《陕北民歌艺术初探》，那是他多年心血的结晶，出书那天，他哭了好几次。

从延安回来，我成了陕北民歌的发烧友。

以后，克文和我成了朋友，无话不谈。来北京我们总要聚在一起，听他唱歌。在朋友家，听歌听得高兴，朋友的老婆做了一桌子菜，盘子不够，用碗盛。克文一唱完，发现了炖羊肉，这碗是我的吗?我们不置可否，他就端起来吃了，吃完才发现，说，噢，原来是大伙的。

后来，我又去了延安。吃饭的时候，我说，现在我挣钱可多了，吃饭我来付钱吧。克文说，收起来吧，按规矩，第一顿和最后一顿总要我们请的，中间倒可以吃你的。

和克文交往，很舒服。他率真、耿直，不卑不亢。掌握着三千多首陕北民歌，就这么活着，不用巴结谁，也不怕得罪谁。

克文的儿子、侄子要学踢足球，黄健翔帮着联系，克文表示感谢，托人捎来一箱大红枣。我给健翔讲了克文，嘱咐道，克文送你一箱大红枣和我送你一箱雨花石是一个意思。

健翔说，放心吧，我会洗干净，一个一个吃的。

我还不放心，就给健翔的手机上发个民歌短消息：

三个钱买了两苗针，
东西不多是个人心。

孙大嫂

一开始我们管孙大嫂叫孙大妈，因为她看上去比实际年龄要大。

孙军华说，叫我孙大嫂吧。

我们去天津盘山风景区玩，认识了卖凉粉的孙军华大嫂，听说她正给3个儿子盖房，我们就去她家看。一趟平房，红砖灰瓦，亮亮堂堂。后来一打听，房子盖得不易，地基这块平地是炸药炸出来的。

1996年，孙大嫂只盖好了这一排平房，还有两个儿子的房子没着落。

刚刚开播不久的《实话实说》要做一期《结婚的钱谁来出》，针对的是社会上的啃老现象。说起嘉宾人选，大家不约而同想到了孙大嫂，看上去，孙大嫂被啃得够呛。

孙大嫂一听有报酬，就来了。孙大嫂家里没电视，当然弄不清怎么拍电视。我在电视台食堂买了猪蹄、花生米，和孙大嫂边吃边谈，就是说说您怎么半夜起床做凉粉，挑到山顶上卖，给儿子盖房娶媳妇的事。孙大嫂满脸的不理解，上次不是和你说过吗?对，这次是和全国观众说。孙大嫂更弄不懂了，跟他们说这干啥。

眼看着时间已到，还解释不清，我就说，走吧，您怎么想就怎么说。走进演播室，请来的嘉宾已经到位，学者王伟、樊平，年轻人高月和相声演员侯耀华。

孙大嫂一张嘴，我们就感受到了民间语态通俗、爽快、鲜活的魅力。

我问，孙大嫂，您家谁作主?

孙大嫂说，都作主，我缺少不了他，他缺少不了我。我们过日子，都是商量着来，共同把着这个家。日子吧，芝麻开花节节高。

现场顿时掌声雷动，笑声四起。

好个孙大嫂，我心里有了底，接着问，

您和您丈夫结婚的时候，花了多少钱，有没有仪式?

孙大嫂说，当然得办点啦，但是办得太少啦，那时候日子挺紧的，肉也挺紧的，就办了5桌。

观众又笑了，大家不了解农村的习俗，认为5桌并不少。

等到孙大嫂介绍为3个儿子张罗房子的情况时，大家更是哭笑不得，因为所有的事情全都被她掺和到一起了。

她说，第一个准备就是把房子给他准备好，盖这一套房得需要40,000元钱，最后连媳妇得50,000元钱才能下来。我们那交通不方便，地基都是用炸药炸开的平地。我自己黑天白天地干，冬天下大雪，我也得干。为了把这房盖好，为了他将来娶上媳妇，我就是拼了命也要把那媳妇娶回来。

现场的观众只顾笑了。

说到给第二个儿子盖房的木材已经备好时，侯耀华抖起了机灵，说，我明白了，现在就缺炸药了。

孙大嫂马上接着说，第二幢房那地是平的，不用炸药啦!

谈话被掌声、笑声推着走。

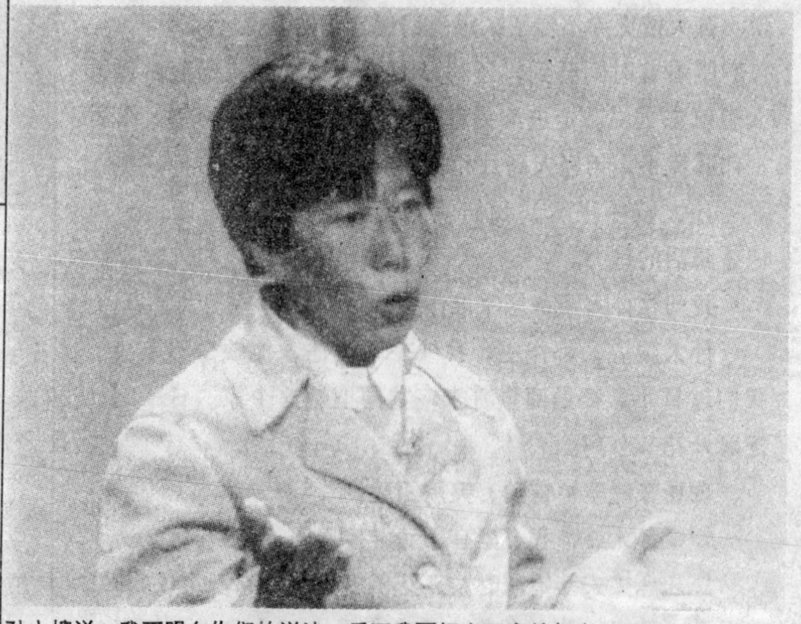

孙大嫂说，我不明白你们的说法，反正我要把大瓦房盖起来。

接下来发生的事，是我主持生涯中的大事——遭遇尴尬。

电视节目爱讲设计，我们也设计了一下。现场准备问孙大嫂，给儿子盖的5间大瓦房什么样。估计孙大嫂不好叙述，我就说，眼见为实，咱们看看吧。这时，现场的大屏幕会播出我们事先拍好的5间大瓦房的镜头。

时机到了，我问，孙大嫂，那5间大瓦房什么样啊?

孙大嫂说，你不是去过吗?还在里面住了一夜呢。

观众都绷不住了，哄堂大笑。我愣在那里，一下子不知如何是好。在我之前，还没有主持人在电视上这样尴尬过呢。

我一时乱了方寸，现场说什么，基本顾不上。接下来是全场七嘴八舌，一通讨论。大意是全场观众加上专家学者一块为孙大嫂鸣不平，都觉得孙大嫂不该把一生奉献给3个儿子。孙大嫂反击的话不多，就是一个意思，我觉得应该奉献。

散场后，孙大嫂望着四散的人群，还弄不明白，哪找来这么多不食人间烟火的人啊?

孙大嫂的想法启发了我，是啊，主持人也是人啊，别人会出错，你就不出错了?别人能尴尬，你怎么就不能尴尬呢?

云开雾散，轻装上阵。同事们说，我声音降了八度，揣着一颗平常心，自然多了。

和观众的交流，就是和他们分享你的一切，分享你的快乐，分享你的痛苦，以至于分享你的尴尬。

去广院讲课，学生问，如果现场尴尬了怎么办?

我说，那就尴尬呗。

附：

崔永元给孟子打了个电话

张国锋

崔永元在《实话实说》中向观众公开认错，为了一句“勿以恶小而为之，勿以善小而不为”。

在《实话实说——一件小事》中，崔永元把这句名言的作者说成了孟子。立即，便有多位观众写信给他指出了错误。在11月15日播出的《小事不小》中，崔永元一开场便提起了这件“小事”。“……我给孟子打了个电话，他说他好像没说过这句话。……我特意买了本《三国志》，从里面查到了这句话的出处。我错了，在此，我向全国的电视观众，特别是给我写信的观众朋友致以谢意和歉意。”说完向镜头深深地鞠了一躬。

崔永元的认错很真诚，也很机趣，不失永元一贯的风格。这非但不会损害他作为著名电视节目主持人的形象，反而更提升了他的品质，说明他做人与做节目同样的认真。

崔永元的认错无疑也是《小事不小》这档节目的一个亮点。《小事不小》是《一件小事》的延续，主要围绕怎样对待自己的过失和错误以及如何看待别人的不同观点而展开讨论，崔永元的认错恰好成为节目主题的生动注脚，并作为最精彩的一个段落，与嘉宾、现场观众的访谈构成和谐、有机的整体。

电视像一面凸透镜，既能放大人的优点，也能放大人的缺点。透过这面镜子，每个人看到的东西都各不相同，有的看到名，有的看到利，而崔永元看到的是自己的不足，并勇于纠正。

其貌不扬的崔永元谈吐不俗，平民化、智慧型的主持，为荧屏吹来一股清新宜人的风，也为一些“俊男靓女”型、自以为是、不懂装懂、废话连篇的所谓主持人树立了一根参照的标杆。

崔永元的认错幽了自己一默，对其他电视人也不乏点拨和启发。我想，崔永元的这一举动不仅仅是一次单纯的认错，它也在提醒人们，谁都不比谁聪明多少，人无完人，你也有说错话的时候。

高大权

乍一听这名字一愣，有那个时代的印记，以为是高大全。

九八年的时候，《实话实说》成熟了不少，有些大选题也敢于关注了。这时，全国召开私营企业家会议，我们的策划摸到会上，打探消息。翻翻会议材料没什么新意，就和会议主办者商量，约几个企业家见见面，回到办公室，从下午等到天黑，就来了一个高大权。

高大权来自吉林省吉林市，貌不惊人的中年妇女，她的经历，坎坷又离奇。

我们厂生产收音机，卖得正火，元件用完了。我去找厂长说，再进元件呗，厂长说，谁不想进啊，你能进来你当厂长。我说别，我进完元件，你让我当供销科长就行。

一言为定，我回家卖了猪，带上钱就到了省里。填完表递上去，人家说，指标，我说什么，人家说这是要指标的，我说没指标。小姑娘看我老着急，就努努嘴，让我找那个戴眼镜的科长。我连续几天给科长倒水，帮科长擦地。看看带的钱不多了，一咬牙，租一辆三轮，跟踪科长回了家。连科长媳妇都看我可怜，科长说，明天来办公室给你批点吧。

第二天，科长拿了张纸，盖个章，签个名，手续就齐了。你说这办事要容易起来也真容易。我小心翼翼地把计划单叠起来，放哪都不踏实，就塞进鞋里，连夜赶回厂子。回到厂里说给谁听都不信，就脱下鞋，完了，那单子早揉烂了。幸亏厂长心细，戴上花镜愣拼出个章来，到底是把元件买回来了。后来，那儿的人全熟了，批点元件也不算难事。而当科长的事厂长一直没提，也不都怪他，因为收音机卖不动了。兴录音机了。

再以后，高大权去了南方专替厂子经营。厂子不景气以后，她辞掉工作，自己办厂，开始往私营企业家队伍里挤了。

几年间，她尝试了不少种产品，最后定在速冻饺子上。投产以后，她想起一个熟人，是副市长，请他帮忙向企业推荐一下。结果一个企业一下定了 40 吨，准备当年货发给工人。40 吨太多，高大权又是进新设备，又是贷款组织原料，一气儿干到大年二十五。

那天，饺子全做好了，我去那家厂子联系，一进厂长办公室，人不认识。我说厂长呢。人家说我就是厂长。我说不对啊，他说，噢，你说的是老厂长，他前两天退了。退了？他还定了我们 40 吨饺子呢。人家说，那可不行，我们已经从秦皇岛定了两车皮马上就到。我赶紧去找前厂长和副市长，这回我明白了，退下去就没用了，副的，也没多大用。

看着 40 吨饺子发愁，孩子们天天跟着我，怕我跳了松花江。我一会哭，一会笑。看着饺子设备，想着贷款我就哭，一扭头看见电视塔，我又笑了。当年建电视塔没钱，书记号召大家捐钱，七手八脚就捐出来了。我这么想，要是市委书记号召大家吃我的饺子，40吨还不够呢。

孩子们听我这么说，都认为我确实疯了。

我带上酒精炉和饺子前往市委一把手书记家。

功夫不负有心人，费了九牛二虎之力，终于闯进了书记家，听完我的讲述，书记直犯晕。他也不是做饭高手，问老伴，饺子怎么样，老伴说，反正比我做得好吃，书记说，那就妥了。

后面的事不用说了，吉林市人民把饺子全吃完了。

高大权笑容满面，看不出岁月沧桑留给她的痕迹。

我们决定录这期节目，派一哨人马去吉林核实情况，临走时，我千叮万嘱，一定录个大雪纷飞的场面，到时候放在大屏幕上，让大家找找东北的感觉。

摄制组走的第二天，北京下雪了，我双手叉腰感叹道，瑞雪丰年啊!

等摄制组回来说东北没下雪，我真想揪自己的头发。

好在同事们头脑灵活，拍下了松花江静静流淌的镜头，多少也有点岁月绵长的味道。

节目播出后，电话打疯了。有十几个企业要和高大权合作，3家外贸公司要代理出口。我放下电话直迷糊，咱们根本没说饺子有没有馅啊!编导赵一工一字一句地说，这就叫信誉。

高大权的经历让我感慨，我在创作手记中写道，仔细想想，人生就像饺子，岁月是皮，经历是馅，甜酸苦辣皆为滋味，毅力和信心正是饺子皮上的褶皱。人生中难免被狠狠挤一下，被开水煮一下，被人咬一下。倘若没有经历，硬装成熟，总会有露馅的时候。

这期节目的播出日期是1998年的2月8日。

节目叫《日子》，偷的是倪萍自传的名字，取的是都不容易的意思。

伊力汗·奥斯曼和东日布

伊力汗·奥斯曼是我广院的同学，比我低一年级，学摄影。

东日布是苏木长，相当于内地的乡长。是我采访时认识的。

伊力汗是新疆维吾尔族人，东日布是内蒙古的蒙古族人，他俩不认识，我认识他俩，我与他俩的故事就从这开始。

上学的时候就熟悉伊力汗的豪爽，经常在宿舍里喝着

伊力汗说，同学之间不用谢。

啤酒，弹着六弦琴引吭高歌。毕业后回到家乡，不断从新疆传来他进步的讯息，听说他当上了副台长，我纠集同事，飞赴新疆去录《实话实说》。临行前同伴有顾虑，人生地不熟，我说，没关系，我同学在那儿。

下了飞机，伊力汗来接，眼看着来得人太多，我搬出外交辞令，感谢新疆台领导亲自来接……话没落地，伊力汗一把将我拽到一边，对着我耳朵说，不是同学，谁来接。

听到同学二字，我的心在乌鲁木齐落了地。

接下来就是选题、选景、落实器材与设备，我住在宾馆酝酿情绪，只听说伊力汗带着一哨人马乱跑。

几天后的下午，在郊外菊花台，我看见伊力汗站在灿烂的阳光下，脸上晒脱了皮，心中升起感动。伊里汗说，同学一场嘛！为一个称呼，要付出这么大的代价。录完菊花台又去葡萄园，转播车进不去，凭着伊力汗的面子，众人一哄而上，推倒了墙。伊力汗还不忘给同学脸上贴金，他

我去过6次新疆，那里的新闻线索比较多。

说，你们《实话实说》真有影响力。

你要去新疆就去找伊力汗，到宁夏去找张天健，到河南去找辛如计，到枣庄去找张永伟，到哈尔滨去找周斌，一提我名，管吃管喝管住。

再说东日布，是我在八九年采访时认识的乡长。

听说要去沙漠深处采访，东日布启动了家里的大轮拖拉机，还装上6只肥硕的绵羊。我问，带羊干嘛？东日布甩下俩字，干粮。

自带干粮去采访，这是苏区好作风。我们带上绵羊就好比井冈山干部带上南瓜或者湘西干部带上咸鱼。

东日布的特点是举重若轻。有一天我们迷路了，东日布上了一个沙堆，手搭晾棚远眺。然后叫我上去说，咱们下盘象棋。我搞不清其中的联系，战战兢兢输了棋。东日布收好棋子说，接着走吧。后半夜我们才赶到一片绿洲，这才明白，下象棋只是表示迷路不算件大事！至于能否找到路，草原上的人信奉“车到草原必有路”。

我们带的“干粮”扔下车一阵风般钻进羊群中，牧民和东日布都不太在意，开饭时啃着随机抽中的另一只羊，我想不通，岂不是别的羊成了“干粮”。

在采访目的地，和被采访的牧民一起合影。　左二为东日布

我心说，动物这么好接近。　动物心说，这个人手真欠。

一天无聊，专问他这个问题，他说，吃到口没有?香不香?一样不一样?这不就完了。

想想也是，我们在城里拿出人生的十分之五的时间去考虑那些无足轻重的事情，白了少年头，空悲切。

乌兰牧骑来演出，帆布围个圈，大家买完票，帆布就拆掉。我又不明白，请教东日布，有人在拆掉帆布后再来，不就不用买票了。东日布说，这一带没有这样的人。

那次不太顺，我重病着回到北京。

不久后收到东日布的信，信不长，有两句很醒目，你是来采访草原负的伤，我们永远怀念你。

领　　导

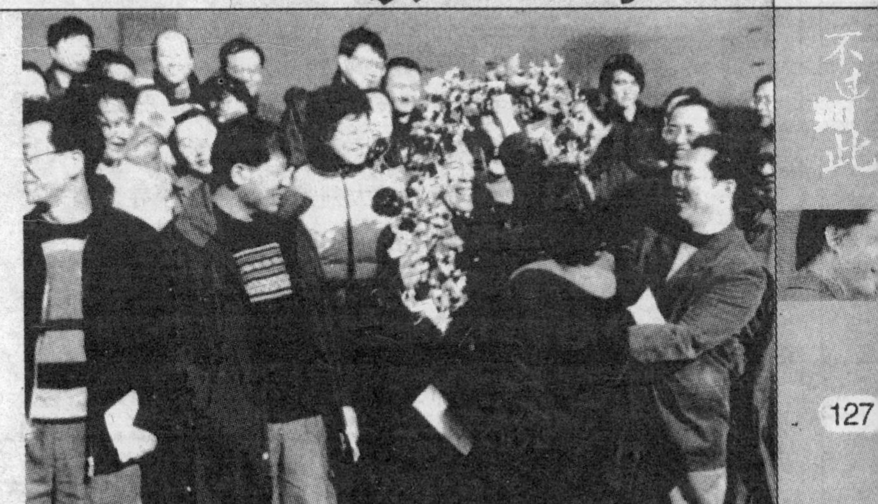

送老袁　踏征程

鲜花丛中满脸笑的就是老袁——袁正明

领导①率领并引导朝一定方向前进。
②担任领导的人。
——《现代汉语词典》(修订本)

大刘是我的第一任领导。

大刘官职的全称是中央人民广播电台《广播之友》报社的编辑部主任。大刘的上面还有报社社长，社长批评我时要通过大刘转达，所以，大刘是我的直接领导，如果社长不通过大刘而是直接批我，那事情就闹大了。

在这之前我都是上学，没挣过工资，也就没受过什么真正的领导。但没吃过猪肉却见过猪跑，大姐、大哥和二哥已经被分别领导过。二哥被领导整得灵魂出窍，母亲慌张着送上整条的烟和3斤杂拌糖。关系缓和以后，二哥的领导来我家赴宴，看着慈眉善目的一个人，长得还不如二哥凶，咋就能整人呢?

大刘也是慈眉善目，整天戴着套袖，身先士卒地干。报社不大，事也不多，但很繁琐。那时不兴电脑排版，都是用毕升发明的活字。排出来，错儿不少，大家趴在校样上，一字一字的校。每到这时，40多岁的大刘会戴上花镜，穿上统一配制的蓝大褂，和我们一样，伏在校样上。一整版五号字，密密麻麻，蚂蚁一样。等到全看下来，以大刘为代表的中老年编辑，眼中布满血丝。

出报后大家聚齐挑错，谁出错，就少发奖金。于是大家拉下脸来全没了风度，能挑出别人的错误，却看不出自己的问题。那时我22岁，正是脑子好使的时候，我发现大家忙于校正错字，经常是句子不通。每到这时大刘都会出来狡辩，只看错字，不管病句，我后来悟出来了，大刘要保住老编辑的奖金。

我人到中年才知道中年人最需要钱，上有老，下有小，精力体力不济捞不到外快，全仗这份死工资。老人的汤，小孩的奶，都等着工资来解决，不像打光棍的年轻人，一人吃饱，全家不饿，忙时吃干，闲时吃稀，怎么也能对付下来。

明白了大刘的导向，再到评报时大家就一齐走形式。不是那种太扎眼的错误，就当是学术上的标新立异。这还不够，大刘还操持起广播电视函授班，你寄钱，我寄材料，你再寄钱，我寄给你结业证书，为广播电视培养了不少人才。

结果一分红，每人分了300多块，相当于当时半年的工资。我揣在裤兜里走在长安街上直打晃。骑着自行车闯红灯，没等警察开腔我先发话，罚多少钱你说吧。

如果没有后面的意外，大刘可能就会顺利退休，我们当中再掐出个编辑部主任，日复一日，接着过下去。

偏偏台里宣布调来一个新副社长。

大刘闹情绪，我们知道这些年来大刘乎着碗里的编辑部主任，还想着盆里的副社长。

社长代表台里跟大刘谈话，几次都谈得不欢而散。

我们也做大刘的工作，凭什么不提你让别人干。

谈不通，大刘横下一条心，离开报社回归社会。

我是在1996年重新唤起了对大刘的敬佩。那时我被迫要离开电台。在这工作了11年，乍一走，心里空荡荡的。哥们姐们帮着顺气，你是不当电台的编辑去当电视台的主持人，人往高处走，应该高兴才对。可“羁鸟恋旧林，池鱼思故渊”，破家值万贯，总说人要适应，其实适应的就是那么股劲。

一想起40多岁的大刘被推向社会我就心寒。

电台领导说，走吧，有人要走，还有人要来呢。

大刘走了没多久，就给我打电话，说手里有批录像带你鼓捣出去，挣点活钱。我脑子猛地闪出一个念头，我和我的领导一起做生意。大刘在电话那头干笑，在商言商，现在是商人大刘跟你说话。

大刘虽没多少原则，领导我们时，大家还是一门心思办报。

来了新的副社长不久，大伙分成了两拨。

这也是领导艺术的一种，大家一条心是容易一致对上的，分拨互相掐，领导就坐稳了。报社十来个人，以前一块干活没觉着人多，现在成了十来张嘴，登时感觉到是非很多。领导坐在当中，转达这派对那派的意见和不满，都是匿名的。然后对两派分别提出忠告。以前混在一起其乐融融的，现在互相瞅着都不顺眼。

也别把账都记在副社长身上，中国人，谁没点运动的底子。

这么一斗，本来就处境艰难的节目报社更是伤了元气，再也没缓过来。

我的同学时间鼓动我干电视，帮助我调工作，一切收拾停当，我才发现他成了我的领导。

有一阵我很不适应，节目的选题要报给他，看看是否合适，其实一个月前还是他问我，我是他的策划。

更有趣的是，居然很多选题通不过。

到底是他当上领导进步了，还是我成了电视人退步了。

时间早年不是这样，比这还胖。

我思前虑后想了很久才发现，事情的本质没有变化，只是变个形式我不适应了。

比如以前他不同意我的选题会说，这算个选题吗?整个臭大粪。现在会说，这选题不太合时宜，先放放再说吧。都是枪毙，温柔一刀反而不能接受。

业务争论也换了形式，以前是边打麻将边争，双方都有个游戏心态。现在却总觉得忠言逆耳，他甚至说，为什么我说什么你都反对?

明眼人看清了缘由，叮嘱我，别总找同学的感觉，你现在是下级。自从盘古开天地，都是下级服从上级。

其实，这件事也分不出对错。

单就成就而言，我对我的同学和领导时间钦佩不已。他认定白岩松和我可以做电视节目主持人，大力提携，让屏幕上多出一些物种。他确立了电视策划在电视节目中的地位，引得社会学者、教育学者纷纷介入，电视节目开始有了重视文化品味的新思路。他在《东方时空》还昌盛时，就提出改版动议，现在，又要锐意进取夜间的空白时段。总想创新，对一个身体一般、不懂外语的人不是件易事。

好多人爱听我讲时间的趣事，说我一讲，他就立体了。作为同学，时间会无所谓，作为领导，他是否会觉得被丑化了形象。

但我不能不讲。

他养过一条狗，号称纯种德国黑贝。我没见过，熟谙狗事的刘洪波见过一面，叙述起来头摇得像拨浪鼓，他说肯定不是。溜狗的时候狗在前面，时间在后面，这么不懂规矩，最多是只串秧，我看就是条柴狗。

好狗什么样，我还是略知一二的。单身时，我们也在宿舍里养过一条白色的波兰狗。据说是从大使馆逃出来的。

好狗最懂眉眼高低，清早见你醒来，摇头摆尾，你不做个手势，它决不会冒然跳上床。肉包子买回来，你不喂，它不吃一个，立在一旁，可怜兮兮地看。

宿舍没人时，它也爱撒欢，把郭林雄的《资本论》咬成了活页，一听开门声，慌忙钻到床下，任你换着花样叫，就不出来。它知道犯错误的后果。

后来，广电部副部长趁我们上班去突查单身宿舍卫生，趴在门玻璃上往里看时，我们的白狗也正往外看，两下一对眼，副部长吓着了。

台长给我们一下午的时间处理白狗，人在屋檐下，白狗送了人。

没听说过时间还有什么养花、养草的雅好。

回过来说工作吧，天不怕，地不怕，就怕时间乱讲话。

他在例会上讲创新，说着说着跑题了，居然说，谁要是40岁还在评论部干，就是耍赖。举座哗然，40岁的同志联手抗议，到上级领导处上访。

下次例会他重新解释，先是说，我不是那个意思，我的意思是说，说半天也不知道是什么意思。

他有自己的表达方式，低头想着，忽然就开腔。

有人想当出镜记者，他劝人当幕后编辑，说出来变了样，你是绿叶就他妈是绿叶，别往红花那凑。

有人片子编得不好，他说，愚蠢，你编的就是反面教材。

我听到过两种截然不同的评判。

一种是，时间不够成熟，领导手法太嫩，城府不深。

另一种是，时间作为领导，肚子里没那么多弯弯肠子，好对付。

每当我把他视为领导时，就自然而然地保持了一个距离，看不太清他的真实面目。

每当我意识到他是我的同学时，总能观察到细处，甚至油然生出感动。

那天在楼门口，他头发乌黑油亮地走出来。我问他为何要染发，他唉了一声，爹妈要来了，不想让他们看我的白发操心。

进入新世纪，时间开始新生活，娶了二胡名流宋飞小姐。婚礼上，宋飞拉起《二泉映月》，时间端起干红告别了过去。

评论部的主任在2000年之前是袁正明。

开例会时，老袁随口说出一串数字，然后和旁边的人核对。

袁的老家在锦州葫芦岛，所以，他操一口标准的葫芦岛普通话。

我单身时他已经抢先结婚了，住在我们单身宿舍的楼下，任我们彻夜狂欢，小两口敢怒不敢言。

忽然间，他成了我的顶头上司，约我谈往事时，我总是说，大家一起向前看，国共还合作过。

老袁没什么架子，严肃起来也挺吓人。

那天他打电话到楼下编辑部，点名要找制片人，自认为大家都熟知他的口音，偏不向接电话者报上自己大名。

那编辑于是气哼哼地问，你是谁?

老袁反问，你是谁?

男编辑心一横，我是你大爷!

男编辑放下电话正与同事们分享快感，老袁下来了，进门就问，我大爷呢?

这个段子成了评论部的经典。

老袁上调了，去经济信息中心当头儿，部里开欢送会，有好事者放了首歌。

送战友，踏征程，
默默无语两眼泪，
耳边响起驼铃声。

结果大家都哭了，好像老袁要去渣滓洞。

一个领导在群众中混成这样，可以了。

不用多说当评论部的主任有多荣耀，看看管辖的4个节目，《焦点访谈》、《东方时空》、《新闻调查》、《实话实说》，这4个节目都……管这4个节目，得应付多少人说情啊！

评论部的领导不难接近，编辑们还觉得不够味。每年春节前后，都要开个年会，名义上是总结工作、联欢，实际上是涮一把领导，争取把一年枪毙节目的不愉快都忘掉。

这成了评论部的民俗，这一天，玩笑再过火，领导也不计较。

狂欢密切了干群关系。

大家看看我创作的三句半，体会一下我们年会的火爆。

评论部里大联欢
男女老少尽开颜
主任亲自来参加
添乱

先吃饭来后喝酒

领导群众是朋友
谁要在这儿批评人
疯狗

三位主任很和气
又像哥哥又像弟
审完节目拍肩膀
“枪毙!”

编辑脸上笑嘻嘻
大忙过后小休息
现在要是派任务
玩去

平时练活真挺累
几宿几宿都不睡
节目落停播不了
点儿背

评论部里空气好
劳动竞赛季度搞
金银铜奖都发钱
太少

女性记者真不少
身材美丽又乖巧
干上两年您再看
大嫂

东边奔来西边跑
自己小家顾不了
老婆跟了别人好
再找

咱们节目演完了
您看演得巧不巧
大家说坏咱说好
傻冒

我还创作过一首《领导好了歌》，专门送给了时间领导。

领导都说谦虚好，无人喝彩受不了。
领导都说正直好，总提意见受不了。
领导都说平易好，不拿腔调受不了。
领导都说幽默好，没有笑声受不了。
领导都说公平好，遇到亲人就忘了。
领导都说效率好，开会发言就忘了。
领导都说当兵好，总不提升受不了。
领导都说坚守岗位好，可当了领导还想当领导。

本来是想写写差领导，提起笔来又写起了领导的好。现在明白了，领导的毛病是咱们群众惯出来的。

弄斧到班门

杨东平老师很宽容。他的意见对《实话实说》是至关重要的。

昨天割草镰刀很锋利，
今天为什么又割不动，
请一位巧手的铁匠来，
请您打三下、打三下！

——西藏那曲民歌

1

《实话实说》的创始人有3位，时间、乔艳琳和关秀。

有了想法，就要寻找合作者。他们意见一致地把目光投向北京文化圈里的学者，先后介入策划的有，杨东平、郑也夫、周孝正、陆建华、邝阳，以及资深记者黄艾禾、梁平。

3位创始人向高手借招的主意为以后《实话实说》的发展打下了坚实的基础。

当我昏头昏脑地介入时，以为自己也会是个策划人选。

在这之前时间的许多片子都是我精心策划的，像徐州运河煤码头、天津和平区选十佳公仆、大同部队煤矿等等。

得意之作是《东方时空》第100期特别节目，我选择了纪录片这一特殊的方式，草原上的放映员，百岁老人，并特别提出，拍一个艺术感极强的片头。

我这样向时间描述：一只手入画，拿起指挥棒，镜头拉开，一个百人乐队布置在沙滩上。指挥棒挥动，优美的《东方晨曲》从乐手的指尖缓缓流出，乐曲至高潮处，一轮红日从海面上喷薄而出，勾勒出大乐队如诗般的剪影。此时，音乐戛然而止，大海卷起浪花，有节奏地拍打着岩石。

我叙述完后，时间掐了烟，像捷尔任斯基那样在屋里来回踱着步，一边走一边嘟囔。等到他停下脚步来，我才知道他是在算钱，只听他响亮地说，值得一干。

于是，我们带上广播交响乐队 80 人，加上乐器，满满 3 大车向北戴河海滨进发。

到了海滨，我和时间立即坐车去勘察地形，没费吹灰之力就选中了一大块平整的沙滩，无垠的海面与沙滩相连，太好了，我找到了八路军设下埋伏圈单等鬼子进套的快乐心情。

第二天凌晨 4 点，大队人马人困马乏地赶到目的地，眼前的景像让我们惊呆了！那宽阔、平坦的沙滩魔术般地消失了，海水与天际相连，我们茫然了。是找错地方了？我说，找个渔民打听一下吧。

答案很简单，涨潮了。

海水朝朝朝朝朝朝朝落

时间脸色铁青，因为自知有一半责任，也不好发火。

两根烟的功夫，时间狠狠甩掉了烟头，胖手一挥，回，明天再拍。

就在这时，开来的大车深深地陷在沙滩里。

一直到傍晚，大家都在想办法让汽车脱险，惊动了当地政府。

这一幕着实有些刺激，后来多次出现在我梦中。不过梦中的我并未参与推车，而是挎着望远镜，戴着八路帽，一手叉腰，另一只手在空中向下一挥，给我狠狠地打！

炮火将鬼子连人带车炸个稀烂。

回到现实，接下来的 3 天，北戴河一直下雨。雨不大也不小，只是看不到日出，也看不到日落。

乐团加上剧组百十号人，人吃马喂，经济上的损耗可想而知。

第五天下午，天放晴了，想问问第二天是否能看到日出，气象台说，明天才能知道。

关于雨，还有一段深刻的记忆。

2000 年 9 月 5 日，我们赶赴江苏扬州与癌症患者陆幼青先生相约星期二。到了扬州，我们选中了一块碧绿的草

和陆幼青一家相约星期二。拄拐杖者为作家陈村先生。

地，因为是室外拍摄，担心第二天的天气。气象台一位专家负责任地告诉我们，明天下午有一个小时的晴天。

早上起来，雨就下个不停，陆先生病情不稳定，始终处在昏睡中。

策划海啸、虎迪一直在陆先生的屋里等候，不时跑到楼道里通报情况。

38 岁的生命，调动身体全部的积蓄，和病魔做最后的

斗争，也许老天也为这悲壮垂泪。

雨，连绵不断，牵动着人们不安的心绪。我们准备放弃录制。人第一，节目第二，这是我们一直恪守的原则。

下午 4 点，手机中传出海啸有些颤抖的声音，陆先生醒了。他喝了点果汁，点上一支烟，看上去精神很好。

陆幼青径直走到绿草坪上，这时，那一个小时的阳光如约而至。雨水把绿草和我们的思路冲刷得清晰透亮。

我们只用了 50 分钟的时间，留下 10 分钟，在蓝天绿树下请陆先生和家人一起欣赏音乐，草地上的对话愉快地结束了。

回到北戴河。

时间当机立断，管它鸟明天出不出太阳，不拍日出，拍日落。这是个无奈的选择。

当“东方晨曲”在夕阳中奏响的时候，我的内心有一种冲动。我意识到电视人的享受有时更贴近自然，更能感受到那种切肤之爱。与其说是电视的优势，不如说是电视人的福份。

第二天一早，大队人马班师回朝，太阳金灿灿地挂在头顶，跟着我们的车窗前行，活像一个顽皮的孩子。找他的时候，他淘气地躲起来；事过之后，他欢快地跑出来说，我在这呢。我眯着眼，头倚在靠背上，筋疲力尽的 6 天，不堪回首。

时间忽然凑上来说，你知道我在想什么？

什么。

他说，我以后再他妈不听你的了。

2

时间说，我以后再他妈不干这劳民伤财的事了。

这应该是所有电视人的戒律。

每天，有多少低质量节目充斥屏幕啊。

下岗工人肯定会说，有这钱，多弄几个希望工程好不好。

原中央电视台副台长陈汉元一句话就说到了痛处，拍劣质电视剧等于腐败。

有一天，我终于悟出了时间、小乔和关秀的心思，为什么拉这些文化人进电视圈，为什么文化人进入电视圈一脸的茫然。

说实话，一开始我并不太在意。大部头咱啃得不多，小薄册子也读过千八百本，大学问家不是，小知识分子还是勉强称职的。应该说，我们是各走一径，社会学者知晓囚徒困境，理解费边精神，但问起推拉摇移和反打，也是一头雾水。

所以，文化人和电视人差异不大，充其量是个优势互补。

5 年后，我才真正知晓，教文化人推拉摇移容易，教电视人理解和实施费边精神，难啊。

也许我们见到的真正的知识分子并不多，这使我们对知识分子一词的理解多少有些歧义。

首先，知识分子的知识不是以读书的数量来计算的，读书破万卷的一般人，多得很。知识分子该是用心读书的那种（这里区别于用眼），读出来的知识浸在骨子里。所以，真正的知识分子该有一副傲骨，不善趋炎附势。这使他们当中绝大多数显得个色，总是鹤立鸡群，混不进人堆里。

当知识如一股暖流涌遍全身的时候，机体的潜能被调动。有境界则自成高格，心胸开阔，做人做事便有了格调。我们有时靠近真正的知识分子，喝茶、吸烟，尽管还

是几件俗事，你却能在举手投足间感受到几分与众不同的人格魅力，就是这个道理。

还有，你不必太为知识分子担心，他们的形式感往往是精神情境的固定，态势很长久。小时候我读黄继光堵枪眼泪流满面，可母亲半点不动心，她知道我一出门照样还会去堵别人家烟囱。精神的不确定导致行为的巨大反差。所以，大凡知识分子总是对自己有过高的要求，负荷过重才不会招摇过市。林语堂先生要求自己，行为尊孔孟，思想服老庄，文章可幽默，作事须认真。

其实这四件事做好一样都不枉知识分子一回。

最难的是分寸与尺度，前三条如果说经培训能表演个大概的话，最后一条则绝对是浑然天成。知识分子的骄傲与自卑总能拿捏得恰到好处，能骄傲时绝不谦虚，该自卑时一声叹息，绝无造作之感。

这好比猫上树，老虎就不会。

3

初见郑也夫、周孝正、邝阳等，并未看透。高腔大嗓，说的也是市井语言，通俗易懂。也夫和我拚象棋，胜少负多。偶尔听他们讨论学术，插不进嘴也没觉自己才疏学浅，没那个学位，不操那份心。

第六期《实话实说》,我和小乔命题为“儿童游戏”。

计有铁环、弹球、烟标、弹弓、攻城、沙包、跳房子、羊拐、毽子、纸飞机、砸驴……

我说，这节目好看，演一遍就行。

小乔说，也有意义啊，游戏多强身健体，现在不兴全民健身吗。

题目说给也夫，他也喜欢，遂定下他做本期策划，也夫扔给我一本书，他写的，说好看完再谈。

读熟人的书就像听他说话。

也夫这样说“儿童游戏”。

他说，游戏的功能是增强体魄，开发智力，促进交往，带来欢乐。

游戏是儿童模仿社会生活的启蒙老师。

最简单的游戏也有规则，所以，儿童在游戏中最先懂得遵守规则，学会扮演角色，履行职责。

儿童在游戏中产生了最初的集体观念，知道了合作与交换、权利与义务，并且在竞争中初次体会胜利与挫折。

游戏在刺激儿童的主动性和进取心。

你必须适应规则，当你强大时，你才可以修改规则。

儿童必须在与同龄伙伴玩耍、打闹、博弈、友情、冲撞以至恶作剧中锻炼。一个健全的人需要的不仅是理性的知识，而且是人格的发育和情感的成熟。后者只能在“游戏竞争”中获得。

孔子说,饱食终日,无所用心,难矣哉。不有博弈者乎。

游戏与工作不同，工作追求结果与收获，游戏只追求过程中的快乐。

关于游戏的安排，实际上个人能力有时非常小，一个家长可以给孩子买钢琴，但很难为孩子添置一个操场、10个伙伴和11个对手。

席勒说，只有当人充分是人的时候他才游戏，只有当人游戏的时候他才完全是人。

埃利克森说，自由在何处止步或被限定，游戏便在哪里终结。

赫因加说，文化是以游戏的方式产生的，文化从一开始就是游戏着的。

天那，我看得昏头涨脑，这是我说的弹弓子那回事吗?

想想明天还要面谈，只好克制住跳读的欲望，硬着头皮接着看。

也夫说，我借用马克斯·韦伯的术语来说，功利人生，游戏人生，求道人生，是三种“理想型”。

得，又来新人了。

这10年来中国社会最残酷的行为是什么?我要说最残酷的行为是大人们对孩子游戏权利的剥夺。

鲁迅先生当年的话刺耳但却显示出先知的智慧：大人们有足够的玩具，鸦片烟、麻将牌、姨太太，而孩子们什么玩具也没有。

游戏的本质是不计功利不追求效益的。而我们的大人——一代功利之徒们，却把一项项功利的目标塞进孩子的游戏。孩子再没有“玩与不玩”的自由选择。

游戏成了工作，成了功课，成了苦役。

砸掉钢琴，它未必比玻璃球高雅，禁止大人践踏孩子的游戏天地。

游戏不仅是儿童身心发育的摇篮，也是整个人类文化赖以滋生的沃土。

哲学家马丁·海德格说，儿童为什么要游戏呢?儿童游戏就因为他们游戏。“因为”二字在游戏中消失了。游戏没有“为什么”，儿童在游戏中游戏。

明白吗?有种人，民间叫“不讲理”，学界称为哲学家。

夜深时，我读完也夫的书，掩卷沉思。如果我们每个节目都要承载这样重的知识负担，非出人命不可。

即便如此，你自认为已经懂了，他们也未必满意。

果然，第二天也夫听我汇报完读书心得后，随口说，还行，你基本上入门了，不过，你还得去北师大找一趟桑新民教授，他是系统研究儿童游戏的。

万事开头难。

开了头更难。

4

无知时，我们无畏。

沾了知识，我们体会到重新做人真好。

我们崇尚知识以后，都撣了撣肩膀，扛上一捆文化塞进节目做背景。还是那些家长里短，文化着说，就显得很有品味。

下面的节目表各位可以对照着看。

节目表面文章	讨论弦外之音
拾金不昧要不要回报	道德与法律的关系
远亲不如近邻	固守社会传统与尊重个人隐私的分寸探讨
夫妻间是否需要一米线	东西文化的碰撞
捐款结余怎么办?	良心和规范
装修的滋味	尊重个性与宽容共性
城市垃圾何去何从	环保的理念与切实可行的操作
面对克隆	医学科学进步挑战传统伦理
家有琴童	功利与素质
村里的故事	大法与乡规民约的关系
对不起,老师,	忏悔和宽容
我的左手	弱势群体的社会地位和尊重的理念推行
名字的故事	社会人和人格的独立
家	尊重差异

我们现在点击一个题目，使它最大化。

窥一斑可见全豹。

《村里的故事》。

《村里的故事》，策划是宣明栋、赵一工，播出日期是1998年7月26日。

本期节目嘉宾有4位，学者梁治平，对多学科的边缘交叉颇有研究。本次节目请他出山是想听他对现代法律如何利用本土资源的看法。作家陈源斌，创作的小说《万家诉讼》引起关注，经张艺谋改编成电影《秋菊打官司》后大红大紫。

我们可以感受一下他文字的精致与洗练：

> 太阳好起来了，何碧秋拿牙锹剁挑在麦田里的墒泥，剁完最后一垧了。她听说丈夫被打，将手上拾掇拾掇，回家看过伤势，转来找村长。

这些事拍成电视剧，3集未必够。在陈源斌笔下，不过区区3行。

一个文笔洗练的人未必适应谈话节目，因为他说话或许也惜墨如金。好在，陈源斌挂职当过乡长，对于这个话题感同身受。

还有河北的张志生和河南的赵来法，身份就是乡间的司法助理员。

节目就从老张和老赵开始。

老张说的是，一家人盖新房，开了后窗，结果遭到屋后邻居反对。理由是后窗一开，晦气就吹过来了。按《中华人民共和国宪法》规定，公民盖房有开后窗的权利。

老张用了民间智慧，看人下菜碟。

来自河北的乡司法助理员张志生讲起“开后窗”的经历，惟妙惟肖。

他鼓励前院勇敢留出后窗的位置，用砖虚掩上。意思是，不是不能开，而是不愿开；他又鼓动后院杀鸡洒血，抵御晦气。一来二去，一场一触即发的争斗暂时被平息，两家相安无事，各过各的日子。

一年以后，后院翻盖新房，开了后窗，正巧他家窗后就是新建的高速公路，晦气被那些车带到祖国的四面八方。

这时，老张说话了，他说既然你家开了后窗，前院的后窗也该打开了。因为晦气有了通道，再也伤不着两家人，再也不能只许你家放火，不许人家点灯了！就这样，前院的房子终于有了后窗。

老赵遇到的事一句话可以讲完，一家人，男的把女的打了。

按说，应该鼓励依法办事，让女的告男的，把男的绳之以法。可家里还有小的，这样，一家子就散了。

老赵没惊动妇联和公检法，而是请来老的，狠批男的，安慰女的。最后，男的给女的道歉，女的给大家做一顿吃的，大事化小，一了百了。

说到这，才用上了梁先生、陈先生的专业，理论分析是必要的。

看来，法律还有些分法。比如公法和私法，公法让国家稳定，私法看护个人利益。

18世纪，法国人孟德斯鸠就曾提出过地理因素说。也就是说，法律和地球纬度、地貌、冷热以及人种都有关系。比如热带地区法律为什么允许早婚和一夫多妻，是因为热带地区人和热带地区植物一样长得快，熟得早。同时，热带及亚热带国家盛行严刑峻法，就是因为那里的酷热容易使人暴躁和不理智。到了温带和寒带，法律也随之宽和起来。

这些说法不可全信，却可以借鉴。一个包含不同地理环境的大国，它的法律在讲究国家统一性的同时也应该尊重地方区域的不同性。所谓既遵守国家大法的权威也考虑乡规民约的合理就是这个意思。

节目播出后不久，我在一个偶然的场合遇到了美国大使馆的一位中国通。知道我是谈话节目主持人，他马上挑起一个话题，坚持说中国是发达国家，理由是他们总统在这里享受的待遇和发达国家一样。如果是发展中国家，根本没这实力。

我告诉这位中国通几句话，有朋自远方来，不亦乐乎；我们的朋友遍天下；打肿脸充胖子……

看他听得上瘾，我又讲了老张和老赵的故事，告诉他，这样的地方离北京不远，开车两个小时，就冲到法律的边缘地带了。

就国家而言，这算发达吗?

有人提出过质疑，既然你们节目有这么多文化内涵，我怎么看不出来呢?

我说，圣人说得好，谁难受谁知道。

5

用一个通俗的形式表达一种复杂的理念，并不像说起来那么简单。首先，做法和想法就有着天然的差异，实施者无意中又衰减了几分，接受者的随意状态再次流失些信号，最后的结果就可能是南辕北辙。

我曾经做过连续三天揭露人体电子增高器骗局的报道。广播时为了客观，没加贬损的字眼，播出后收到500封求助信，希望代买此产品。

我们做过辅助生殖技术击溃传统旧观念的节目，其中，花了相当篇幅陈述试管婴儿的利与弊。播出后，电话铃声大作，纷纷要求就到这个医院，就找这个医生，就用这些试管。成了医疗广告，真是跳进黄河也洗不清。

办公室的电话每天还在响着，我们时刻咀嚼着沟通不良的苦果。

有人想买我们推荐的蜗牛，蝎子。

有人想买我们的树苗。

有人想吃我们的药。

有人想和我们合伙加工饺子和大碱馒头。

有人想谈我们介绍的对象。

有人想让我们修电视和燃气灶。

有人想和我们合伙再开一个饭馆。

……

对天发誓，这些事我们一件没干过。我想，这或许是推介新观念，新思维的副作用。

有点文化不易，传播更难。

更多的时候，是我们默默体会接壤文化以后，内心充实与平和的感觉。

文化要求受众的理解力，没有这个能力，都是文化人也没戏。

大画家戴敦邦七九年和一群画家去了敦煌。

偶然机会，他钻进了465窟，一个元朝前期的密宗洞。

回到宾馆，戴先生与同行们高谈感受，他认为，作为传统的工笔画，在色彩的运用上打破了用固有色和不注意整个画面色调关系，大红大绿孤立地乱用，不懂得黑白灰互相映衬的惯例，给人一种艺术启迪。

戴先生谈得眉飞色舞，却未能引起同行画家们的注意，甚至不断投去不信任的目光。

因为他们一致认为，戴先生去465窟，是想家了。

山不在高

对男人而言，化妆的滋味很难受，所以化妆之前总是六神无主。

美色不同面，皆佳于目，悲音不共声，皆快于耳。酒醴异气，饮之皆醉，百谷殊味，食之皆饱。

——王充《论衡》

幸好，潮流也在转变。

——(美)米尔顿·弗里德曼《自由选择》

1

《实话实说》做到第13期的时候，策划陈骞发现了一个有趣的选题。陈骞告诉了邝阳。已近不惑的邝阳听完选题，手舞足蹈。当时我正和也夫下象棋，竖起耳朵听到他们轻声交谈，其间邝阳拍了两次手，陈骞还吃吃地笑，莫非真是个好选题。

一盘棋过后，老邝笑吟吟地说，小崔，我们找到了一个特棒的选题，猩猩活。

猩猩活?名字听上去很费解。老邝仍旧笑吟吟地重复：猩猩活。我猜想又是老邝的口音问题。上次吃饭老邝夸奖河南，说什么他的自行车坏了，有4个人主动上来帮着修，他问路，人家放下手中的事，给他领路……我实在听不过去了，高声说，老邝，河南我去过，不是这样。老邝也不甘示弱，拉开架式，回击道：你是哪年去的?陈骞忙出面调停，别吵，误会了，小崔说的是河南，人家老邝说的是荷兰。

果然，老邝说的猩猩活，正确发音应该是星星河。

星星河，多么富有诗意。

我刚在电视上露面的时候，有过这样的念头，觉得自己快是灿烂银河中的星星了。

陈骞一开口，我知道他说的星星河和我的浪漫是两回事。3 个独生女的父母决定让 3 个孩子一起学习，一起玩，目的是让他们感受到有伙伴的快乐，他们为这个小集体起名叫星星河。

现在是，孩子一家一个，孤苦伶仃。

这有意思吗?意思，是那时我衡量选题的第一标准。

陈骞和老邝异口同声，绝对有意思。

陈骞介绍他掌握的情况，洋洋洒洒，一口气说到吃午饭。我提出的最后一个问题，这么多事，重点说哪个，稍带说哪个，这么多理，哪个深说，哪个又浅说。

看到我热情不高，老邝多少有些郁闷，陈骞则匆匆地扒拉了一口饭，进了别的屋。

下午再谈的时候，陈骞抱了一大堆卡片，每个卡片上都有一个星星河的故事。

陈骞把这些卡片一字排开，然后说了一段令我终生受用的话，节目主持人就是火车司机，带上乘客，一路开过去，边走边欣赏沿途的风光。每到车站就要停下来，大站还要多停一会儿。火车能行走得安全,停靠得稳当,是因为有铁轨。乘客一路赏心悦目,一是因为窗外有风光,二是火车停停走走的节奏感,使旅途变得不再漫长,不再乏味。

回过头来我们再看节目，节目中展示的事实有详有略，这就是窗外的风光，停靠的站台就是我们争论或讨论的层面，怎么能让事实的展示和理性的探讨都清晰，靠的就是轨道——所谓谈话的脉络。

听君一发言，省下买书钱。

这样的感觉以后我还有过多次。有段时间，很多人说我有现场控制能力，千头万绪，众说纷纭，都可以处乱不惊，一一化解，听多了，还真有些飘飘然。

这个时候，王韧来了。

王韧是上海东方电视台的编导，属于解放后最早做谈话节目的一拨人。他们制作的《东方直播室》，出手不凡，第一期开始就直播，我到现在还固执地认为，直播是谈话节目的最高境界。

王韧话不多，看完我录制一期节目后，不紧不慢地发表意见。

你有没有觉得今天大家紧紧巴巴的。

我说，当然，我控制着现场呢。他说，大家不轻松，算不得上乘的谈话。不容我反驳，他紧接着说，当然，在录制现场让大家争相开口已经不容易，但如果大家说的不是自己的话，不是自己熟悉的方式，不是自己确定的语气，既便是很中听，又有什么意义呢?

我听得有些心凉，感到自信心受到打击。

王韧接着说，我们现在不很好吗，抽着烟，散着步，信马由缰,想到哪儿说到哪儿,刚才我看到你沉默不语,难道这沉默没有意义吗,其实,沉默里也有很丰富的信息。

沉默是金。

可是你们的谈话现场为什么没有金呢,所有的空隙都被语言、掌声、笑声填满了,我认为,这并不是一场真正的谈话。

好的谈话就像漫步聊天，话题忽上忽下，忽左忽右，却不会偏离主题。一会儿，你是谈话的组织者，一会儿，他是谈话的发起者。有话则长，无话则短。因为轻松所以避免了言不由衷。

朴实的王韧，外表就像黄浦江畔的工人。

漫步聊天不只追求有意思，更要有意味。有了意味，才会有意思。

这成为我们节目对品味和格调的要求。从那以后，观众在电视上看见我提着话筒在观众席间不停地走动，不断地发问，这样的镜头以前都会被剪掉，因为被认为无用。现在细心的观众们会发现，就这么走着，谈话空间就出来了。

就像王韧研究的那样，有用和无用有时是会转化的。

有一天有人请我吃饭，一上来就点了道凉菜，凉拌萝卜皮。萝卜皮通常是被视为无用的。看见萝卜皮，我想起了王韧。

2

录像那天，星星河的3个成员和母亲一起来了。

3个女生，都是齐眉短发，都上小学二年级。

进了演播现场，他们高兴地欢蹦乱跳，在他们眼里，演播现场和在家里没有什么区别。这猛然提醒了我，如果观众进了演播室都这样放松，那么谈话一定会自然。

这时，陈骞和邝阳走了过来。陈骞说，记住，大站停，小站不停，老邝说，再重复一下，这个团伙叫猩猩活。

观众基本到齐，我忙回身招呼3位小嘉宾。

快过来，咱们准备录像了。

3个人倏地凑了过来。

我再一次默记他们和他们团体的名字：猩猩……去，星星河，辛雨奇，周鹤，陈若欣，女，均是小学二年级。

陈若欣，有特点，小胖子。

这时陈若欣发问了，今天谁是主持人啊?

我呀。我捋了一下头发。

陈若欣忽然说，叔叔，你长这么难看，还当主持人啊?

那一刻，只觉得斯文扫地，手足无措。

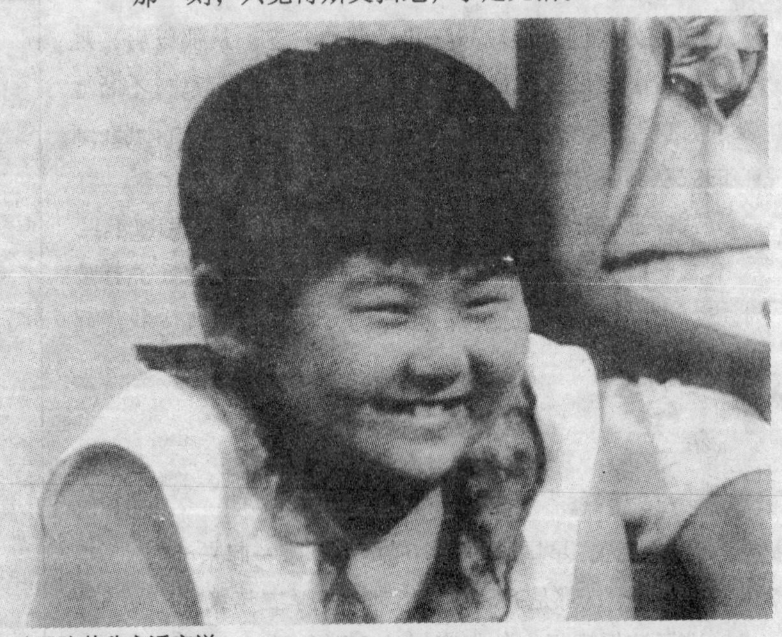

小胖子陈若欣实话实说

我在弟兄中排行老三，上面有两个哥哥。小时候，家里来了客人都夸，老大精神，老二利索，偏偏到了老三，满世界找不着合适的词，这是老三，老三好啊，最小吧，哼哼，哈哈。

母亲总是把话接过来说，其实我们老三穿上好衣服挺精神的。

第一个女朋友离我而去时说，我听不了那些冷言冷语。

1993 年，我的同学时间力邀我出山主持《东方之子》，被我婉言谢绝，出镜头有什么意思。其实，是怕形象不行。

不管什么样，都敢找徐晶老师去，谁让她能塑造呢。

后来，形象一般的白岩松担当了重任。

时间在接受一家杂志记者采访时这样说我，小崔一开始没太在意这件事，后来，他推荐了白岩松。白岩松一举成功后，他看到自己往日的小兄弟一飞冲天心里开始失衡。他艳羡小兄弟生活方式的改变和社会地位的提高。等后来我们又去找他时，他爽快地答应了。

他(时间)也是揣测。

我去大学讲座，这样遮掩这件事，我觉得自己形象一般，就推出了一个比我还丑的，我把白岩松推出去了。

每说到此，都是笑声一片，掌声一片。

那次去北京外国语大学，一个女生说，你知道白老师怎么说？他说台里先推出一个丑的，看看反应不大，就把最丑的推出来了。

平心而论，按传统的选择标准，新闻评论部符合规范的主持人只有敬一丹一人，其他的都不合格。

在我推诿犹豫的时候，时间和乔艳琳带我去找徐晶，公认的电视造型第一高手。

徐晶第一句话是，怎么又找一个这样的，你们看中的人都怪怪的。

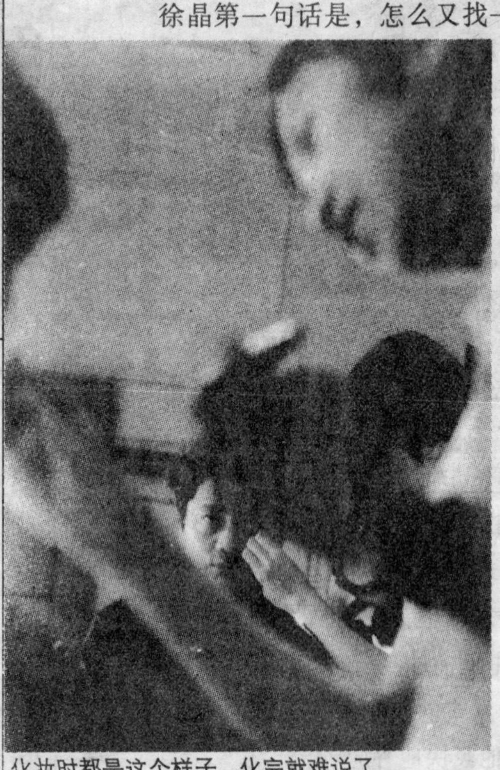

化妆时都是这个样子，化完就难说了。

看来，小白也让她伤了不少脑筋。

说归说，等到化妆的时候，徐老师非常耐心。半个时辰后，我从乔艳琳惊异的眼神中看到了什么，我一照镜子，只一个字，帅。前半生的自卑一扫而光。

时间叼着烟，不紧不慢地说，他以前嘴角可是有些歪的，歪得有意思。再说，坏笑呢，坏笑怎么也不见了。

我心中升起一股无

名火，你个大白胖子四方脸，不在街上走，不知白眼贵。

徐老师听出了时间的意见，递给我一块肥皂，让我洗尽铅华，她要推倒重来。

1996年3月16日早晨，我在电视上第一次以主持人身份出现，一时间，讨伐之声不绝于耳。一封信这样写道：我们全家互相问，中央台怎么了，欺我中华无人吧。姓崔的，你要知趣，该干什么干什么去，没听说又要严打了？

这封信来自北京，后来，兰州、西安、银川、苏州等地观众相继用不同方式表达了类似的观点。

倒是东北方向的观众，没太为我的电视形象纠缠。也许东北人漂亮的多，随便一个赶车的都是浓眉大眼，漂亮也就不值几个钱了。

两年以后，我们做春节特别节目《吃的学问》，请来一位胖胖的厨师，录完节目后他拉着我说，你一定记得节目刚开播时北京有一家人写信骂你。

我说，记得。

他说，那封信是我们全家讨论完我执笔写的。

说完，他笑了。

我的策划同事最爱和我说的一句话是，换个角度想想。

假如我是个电视观众，节目内容且不说，主持人个个相貌平平，我该是个什么心情？

距离产生美，如果大家长得拉不开距离，何美之有？

我喜欢屏幕上的杜宪、李修平、海霞、王小丫，她们的美，让观众觉得，买台大彩电值得。

换个角度一想，我想通了。我对小胖子陈若欣说，快坐好，叔叔马上开始主持了。

忽然，我又冒出一个念头，把刚才的一幕告诉现场观众，让大家和我一起分享尴尬。

平静了一下心情，回过头和大家说，陈若欣小朋友说了，你这么难看，还能当主持人……现场的一百多人宽厚地笑了，他们用掌声帮我找回自信。

感谢陈若欣，她的一句话让我刚刚开始飘飘然的时候听到一声炸雷，又重返人间。站在地上，踏踏实实的感觉真美。

5 年来，我一直站在地上和大家实话实说。想想，天塌下来有什么可怕，有漂亮的撑着呢!

3

节目组有一位策划叫丛鹏，学细胞生物学出身，人也怪异得很。

学文科的我和学理科的丛鹏

大家一起去九寨沟旅游，长途跋涉，一路舟车劳顿。猛地看见雨后彩虹，看见满眼绿树，一阵欢呼。他却说，多好的高原草甸，多好的针叶林，多好的阔叶林。说得我们一哄而散，挺好的兴致，让科学给搅和了。

九八年“六·一”前夕，丛鹏提出做一期儿童谈话节目。我说，儿童，是谈话的对象吗?可丛鹏秉性倔犟，认准了，很难说服。

我决定以退为进，说，我不熟悉孩子的谈话方式。

从鹏说，这好办，我们可以去体验生活。

于是我们走进了北师大幼儿园。

在那里我发现，孩子们特给面子，随便听个什么笑话都会拍手顿足，哈哈大笑。最大问题是不持久，耐性差。一个小男孩举了一回手，见我没叫他，扭头回屋睡觉去了。阿姨说，孩子的要求，必须第一时间满足，对他们来说，不争第一，就没有意思。

这和记者陈小川的观点一致，争就争冠军，亚军没用。普希金和丹特士决斗，普希金是亚军，命都没了。

于是，我装成专注的样子，好像每次只能看到一个人举手，矛盾迎刃而解。孩子们都认定自己是被我看到后，第一个叫到的。有时，我还略施小计，比如让这个讲，跟另外一个说，下回就是你，或者是，你说得好，最后再说。

幼儿园阿姨被我的耐心打动，说，你真用心，然后告诉我：孩子们的注意力最多集中 5 分钟，要是发吃的，还能坚持 5 分钟。

那 10 分钟以后呢?

阿姨的回答斩钉截铁，神仙也没用。

见我一脸难色，从鹏也忙着开动脑筋。他一拍大腿，有了，吃的咱先不发，告诉孩子们录完像再发。再买些玩具，摆在现场，不发言的人可以先玩玩具。

这期节目的主题是“六·一”节，孩子们说自己的心愿。暗含的意义是再小的孩子也需要理解和沟通。

录像那天，孩子们一进场，山呼海啸。毛绒玩具被抢了个精光，两分钟后，馅都被掏出来了。我心说，姓崔的，这回看你怎么收拾。

孩子们入场后，我没座了，只好跪在地上。

阿姨说对了，5 分钟以后天下大乱。

孩子们想说就说，想走就走，有的躺着睡觉，有的嚎啕大哭，还有一位直接挤进我的沙发，什么话没有，只管用鞋蹬我的后背。

丛鹏的倔犟一手酿造了这场“闹剧”。当时我无计可施便横下一条心，咱也倔犟一把。于是，强打精神，挂着笑脸，支应着全场。终于熬到和观众说再见了，没有一次节目感到这样漫长。下来一打听，还不到 50 分钟。

看着情绪低落的丛鹏，我说，节目就叫《童言无忌》吧! 为这场混乱找找辙，也宽慰一下丛鹏。

5 月 31 日，《童言无忌》播出。

异常强烈的反应，大大出乎我们的意料，观众争相打电话说，从没见过孩子们在电视上这样自由自在，要是所有的儿童节目都这样就好了。一个观众更是直言不讳，看见你在孩子们面前手足无措的样子，我开心死了。

怎么，真的没人在意我们的节目理念吗?

我再回头去看素材，看看孩子们怎么和我对答如流的。

"你'六·一'节准备去哪儿?"

"我想和爸爸妈妈一起去'六·一'节玩儿。"

"你最喜欢谁?"

"我最喜欢打架。"

"你爸爸有什么优点?"

"他不怎么爱下棋。"

正是这不着边际的回答，让我们看到了童心童趣，看到孩子们的天然去雕饰。

从鹏很平静，写了篇文章算是总结。

《童言无忌》是一次试图在电视屏幕上表现儿童自在状态的努力，由于在操作上缺乏对这样一种电视谈话样式规律性东西的足够把握，我们把自己推向了自在与操作之间的尴尬境地。如何面对这种尴尬也是《实话实说》的一个基本课题。《实话实说》的工作是一种社会学意义的"克隆"，它试图以谈话的方式"克隆"人们的生存状态。电视本身是一种高度操作性的媒体，而我们力图表现的是一种人的自在，在目的与手段之间存在某些不易调和的东西。理念可以顿悟，手段只能渐进，完成这种调和需要把握大量规律

和孩子在一起，鞠萍姐姐像那么回事，我就显得笨手笨脚。

性的东西，形成高度缜密、有效的操作程序，并且不能够因此消磨了活力。这是一件极富挑战性的工作，其乐无穷！

和孩子打交道多的人，都有一颗不老的童心。

我总是说，中央台，最快乐的人是鞠萍，脸上总是挂着孩子般灿烂的笑容。

一天她见我忧心忡忡，打趣地问，小崔哥哥，有什么不开心吗？

我不知从何说起，一声叹息。

她问，你以前上班骑自行车吧？

我说，骑，刮沙尘暴都骑。

挣的钱也没现在多吧？

当然。

鞠萍笑着，一脸的阳光，好日子过着，还有什么不快乐呢?

几句话，我感到了轻松。

人啊，该多和孩子在一起。下班回家，女儿缠着我要吃一块饼干，拿到饼干，小口吃着，她心满意足。高兴地操起笔，刷刷刷，画了一幅鱼头和鱼刺，毕加索风格。算是对我的回报。

看着有趣的画，我想到节目，现场表面看上去像条自由自在的鱼，其实，全仗着一根鱼刺串联有方，策划是多么重要啊!

如果你看到我每天笑意写在脸上，不要以为是无忧无虑。是因为我想通了，天塌下来，有鞠萍姐姐顶着呢!

4

九九年初，一个叫张穆然的15岁的小姑娘患了癌症，发现时已经是晚期。她和一般癌症病人不同的是，特别爱笑，每次去化疗，都像是去旅游一样，背着书包，自己去医院。

她的父母是插队知青，去的是陕西，穆然出生时，家境不好，所以穷人的孩子早当家。

穆然像个英雄一样漠视自己的病痛，她鼓励别人勇敢起来，帮着病房出黑板报，病房里总能听到她银铃般的笑声。

或许此类事情看多了，刚看到报道，我并未在意。

几天以后，穆然接受了《第二起跑线》的采访。

主持人贺斌连夜给我打电话说，小姑娘快不行了，想和你一起主持一回《实话实说》，你应该帮她圆梦。

我立即答应了，叫上策划丛鹏和钱韵梅一起着手准备。

小穆然的心愿透着孩子气，想见一回她喜欢的两个歌星和3个小品演员，电话打过去，除了赵本山，其他人都谢绝参加，没有商量的余地。

我们准备接通越洋电话，让小穆然采访桑兰。

我还请来了同事敬一丹、方宏进、白岩松、水均益、贺斌。为了小穆然，他们放下手里繁忙的工作，来到平时难得聚在一起的录制现场，尽自己的爱心满足小穆然最后的愿望。

录像的前一天，晚上11点了，丛鹏打来电话，声音低沉，穆然病情加重，送进肿瘤医院抢救。

我在急救室里第一次见到了穆然，小姑娘真漂亮，虽然没了一头秀发。

医生说，很危险，最坏的可能是过不了明天。

丛鹏和小钱说，还录吗?

我说，录吧，咱们都答应孩子了。

第二天的录像现场气氛凝重，大家谈得很动情。小白现身说法，讲自己战胜失眠的经历；方宏进的父母此时也正与癌症抗争，他希望他的感受能帮助小穆然；水均益承担了采访桑兰的任务。桑兰说，我知道，穆然遇到的困难比我大，也比我坚强。敬一丹推荐了《相约星期二》这本书，临终前的美国老人莫里说，除了恐惧，还有另外一种面对死亡的心情。

医生来到现场，穆然的同学和老师也来到现场。

小乐队一遍遍地演奏穆然喜欢的曲子《荆棘鸟》。

录完节目，我们一起去医院看穆然。

穆然醒着，看上去精神不错。看见突然来到病房的我们，穆然又吃惊又高兴，眼睛瞪得大大的。

为了穆然，他们都来了。

记者们闻讯而来，满屋的闪光灯对准了穆然和我们。

大家都觉得不妥，从病房退了出来。

第二天，穆然看到了我们为她编辑的《实话实说》的录像。为了不让她伤心，我们放了几段轻松的画面。那天大家心情沉重，但是面对穆然，却努力克制着自己。

晚上，忽然有人告诉我，北京一家报纸准备刊登一张我和穆然握手的大照片。我连忙打电话到报社，希望他们不要这样做。我们怎么能在一个即将结束年轻生命的孩子身上捞一把呢？可报社不同意，双方相持到凌晨3点。最后，由于我们执意坚持，报社才把照片裁成一半。第二天刊登出的是穆然的笑容。这多好啊，我们感谢报社的理解。

1月16日清晨，小穆然走了。

1月17日，《实话实说》播出了特为穆然制作的节目《感受坚强》。

也许这个节目的客观效果是这几个名人很有人情味，虽然我们是想让大家感受穆然的乐观和刚强。我们如果这时有捞一把的念头，仅仅有这个念头，都是可耻的。可在闪光灯的光照下，谁又能说自己没有一点变形呢？

白岩松心很细，他后来告诉我，那天我们去穆然病房的时候，她旁边床上躺着一个同样身患癌症的小姑娘，我们疏忽了，没有去慰问她。

《感受坚强》播出后，打动了许多人。

很多成年人，因穆然的坚强，勇敢地去直面困难和挫折。

当然，人性的善良不是每个人都能拥有的。一家保险公司的一位业务主任趁机拓展自己的市场。

“假如穆然的父母亲和我认识，并为她购买了《重大疾病保险》那么，当不幸发生在小穆然身上时，至少保险公司会在她最需要经济援助时，得到公司的理赔款……”

“试想，一年交保费 4710 元，就可得到 30 万元的重大疾病赔付……”

“希望和您交个朋友，并希望您能为自己及家人考虑一下，有关保险保障一事，如果贵台同仁有想了解保险的，请您帮忙把我介绍给他。”

我不想交这么个朋友。

5

孩子该是什么样？这样，还是那样？

这是一个问题。

孩子就是孩子，天真、纯洁、幻想，是孩子的天性。

敬一丹和女儿平等相待，我亲眼见过她的女儿王尔晴当众顶撞她，敬一丹笑笑而已。

敬一丹的宽容让王尔晴格外自信，小学就开始独立思考，到了中学更是无拘无束、自强自立。

一次她参加《实话实说》录像，高低觉得不顺耳。一出门就和敬一丹探讨，这节目能播吗?后来果然这个节目不让播。

九八年，我们制作了一期节目叫《演戏的孩子》。

蒋小涵、金铭、关凌、宫傲4个小童星一起来到了现场。

孩子们真是实话实说。宫傲仗着地盘熟，不怯场，大大方方地仰靠在沙发上。谁让他是孩子呢，不随便就不是孩子了。

右一右二是敬一丹和她的女儿王尔晴

蒋小涵不客气地批评了孩子当中风行的嫉妒心理。

节目播出后，两个人为此吃了苦头。蒋小涵上学成了难题，宫傲的几个演艺合同都被毁了约。两个孩子的母亲都给我打电话，质问社会为什么承受力如此脆弱?我听得出她们言外之意对我有些报怨，一期节目，耽误了两个孩子的前程。

我不知道该怎么办，自我宽慰的理由是，就算我扔下两个障碍，在孩子成长过程中磨炼一下他们吧。

2000 年的“六·一”又到了，这回不用我们操心，青少中心力邀我们加盟全天的直播节目。这回策划由海啸、虎迪担当，说来两位都具备资格——每人都有个宝贝女儿。

节目定名为《假如我是爸爸妈妈》。

这次挑的孩子大了一点，个个能说会道，与其说是我在主持，不如说我在做陪衬。

一个来自浙江的 11 岁的孩子吴导着实让来宾大为惊讶，他趴在座位上便仅用了几分钟赋诗一首：

在演播室

我坐在台上
看着大家的笑
听着大家的一切
只有灯光
主持人
讲着这传播在空气中的故事
在这里

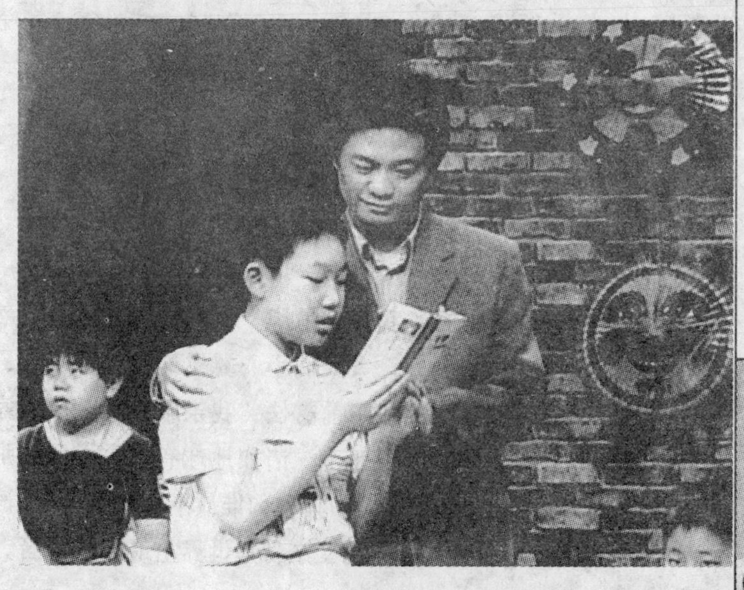

吴导念完诗，我说能不能算咱俩合写的?

我讲的话
是自己的过去
在拿着话筒说时
我在想着未来

如果不是亲眼所见，你很难想象这是一个 11 岁孩子的即兴之作。我说了很多夸奖的话，表达我的惊喜。吴导记在心上，回家后寄来一本诗集，作者是自己，书名为《我喜欢长大的世界》。

晚上，躺在床上，我翻着诗集，被有趣的诗句感动。

“小鸟爱大树的强壮
大树爱小鸟的自由”

“从上游到下游
桥是最近最快的语言”

“拐杖是老人的一只脚
它支撑起老人的年龄”

和孩子打交道时，我提心吊胆。他们的聪慧总是自然流露，常使人猝不及防。大人们小心翼翼地修饰着自己，稍不注意就会在孩子的法眼前露怯，我亲眼目睹一位专家被孩子们的问题问得东倒西歪，诸如地球有多重，眼睛那么小为什么看的东西那么大，猫和狗谁最不喜欢羊等等。

在21世纪，没有文化的父亲将是世界上最苦的行当。

活　　着

雕塑一样的盲童

乌龟说：人说话的语言不同，但是咳嗽声音都一样。

——外国谚语

1

1986年的夏天，全国的盲童代表来到北京，参加第一届全国盲童夏令营。

报到时，主办单位点名，广播电台的来了没有?

在我回答的同时，一个男孩顺着声音摸了过来，看上去八九岁，一口的天津话。盲童杨雪元说，我想去你们电台吹笛子。我说为什么?他没回答，又回问了我一个问题：是不是在电台听收音机声音最大?

我们笑了，盲孩子们单纯得可爱。

我们是指，我、郭林雄、张浩，中央人民广播电台的3个记者。

夏令营的活动很丰富，没开什么会议，每天安排孩子们用脚和手去参观。他们去摸了长城，他们去摸了大会堂和纪念碑。

在纪念碑前，孩子们的身形就像一座雕塑，《中国日报》记者郭建设不失时机地拍下了这一经典的画面。

进大会堂时，工作人员还沉着脸向带队人宣布纪律，不准上主席台。就在这时，孩子们簇拥着摸了进来，那位工作人员、一位中年女性，一扭脸就被打动了。她退到一边，让孩子们摸上了主席台。孩子们摸到了主席、总理的位置，一下子坐了上去。另外两个孩子高兴了，在台上翻起跟头。连红旗下都站着孩子，撩起红旗往自己脸上贴，看到这一幕的人都在擦泪。

在这之前，张浩采访过北京残疾人运动会。他说，和他们打交道，总有些感觉让你意外。组委会一位无臂的朋友边走边接受采访，他忽然停下来对张浩说，劳驾您帮我提上鞋。

刚刚建成的密云国际游乐场全天为孩子们免费开放。坐过山车的时候，我挤了上去，一圈下来，我觉得天旋地转，回头一看，孩子们没有下来的意思。一口气，每人又转了3圈。孩子们用尖叫表示他们内心的幸福和满足。我想，对他们来说，世界永远不会旋转，也许，世界真该是盲孩子们感受的这样。

孩子们吃盒饭，菜和饭分得不像我们这样清楚。所以有时连吃几口饭，有时又连吃几口菜。吃饱了，同样心满意足。也许，饭就该是这样吃法。

熟悉了，一个孩子悄悄告诉我，他不是生下来就看不见，他看过世界。他对我说，他见过树，树是绿的。

郭林雄回到宿舍连夜写了稿子，他说最喜欢盲童夏令营的徽章，上面用盲文写着两个字，从左到右是，我爱，从右到左是，爱我。

2

我已经想不起来怎样认识了司德林。

司德林双腿残疾，街道的团支部抬着他的轮椅逛故宫，他的想法是台阶太多，应该拆掉。

他并不感谢别人的照顾，这让我们难以理解。

直到我去了一次美国,才对司德林有设身处地的感受。

在美国，我发现残疾人很多。经人指点，明白了其中的原因，发达国家用金钱为残疾人铺就了一条条自由自在的通道，使他们无须任何人扶助，轻而易举地参与社会生活。残疾人有良好的条件在社会上走动，也就难怪看到的残疾人多了。

我们不行，财力不够。建好的盲道还因为被随意侵占而有名无实。有时候我们这些健全人参与社会都觉得处处不方便，何况残疾人。

健全人如果都难保有健全的心灵，恃强凌弱，欺软怕硬，哪有多余的爱抚慰别人。

所以，我们有时会觉得司德林们不正常，那是因为他们的肢体残缺。但他们心灵却是健全的,依然可以洞察秋毫。

虽然我们诚心帮助，希望给他们以扶助，但是，谁喜欢拐杖?

我们真想帮他们，就该铺几条他们能随意行走的路，开几辆他们能随意上下的公共汽车。

3

我去西城培智中心学校采访，遇见了年轻的音乐老师关健。

关老师科班毕业后，可以去歌舞团，但是她到了这个学校教孩子们音乐。

关健老师第一堂课就与众不同。她告诉孩子们站在门外，听到音乐，就可以神气地走进来。然后她轻盈地敲打着黑白的琴键，《运动员进行曲》从她指缝里流出。

这时孩子们进来了，挤成一团，桌椅乒乓乱响，他们对音乐没任何感觉，他们不懂什么叫节奏。

关键说，我一下就傻了。

目前，中国 14 岁以下的智力残疾者，大约有 540 万，占残疾儿童总数的三分之二，这个数字超过丹麦整个国家的人口。

智力残疾儿童又称弱智儿童、精神发育迟滞。

以后很长时间，关键回到家的第一件事是戴上耳机，听听纯粹的音乐。她说两个小时，差不多两个小时，心态才能恢复正常。

她拒绝吃鱼,看到鱼眼,她就想起那些眼白过多的孩子。

我去采访时是 1987 年，关键老师还坚持在干。她向我展示了她的教学成果，还是那群孩子，手拿铃鼓、沙锤、角铁，和着老师的琴声，一边演奏一边齐唱。

> 红太阳，从天山，高高地爬上，
> 风吹绿草，草儿把头点……

确实很齐。

这是我听过的最美的歌声。

我还旁听了一堂数学课。老师在黑板上出了道题，2 + 3 = ? 孩子们小手举得像树林一样，一个胖乎乎的孩子争得了机会，他跑到黑板前，抄起粉笔，写个 6。

老师说，对吗?

同学说，不对。

老师说，那好，谁能帮他指出错误?

于是孩子们回答：

老师，他的 6 写歪了。

老师，他的 6 就是写歪了。

老师，你写的等号也歪了。

……

孩子们每回答一个问题，都要向我这边望望，清澈的眼光里流露出期待，他们希望得到肯定。一节课艰难地下来了，强烈地感觉这个老师比我的老师说的话要多得多。

我问这位老师，难吗?

她说，难，也想过不干。最难的时候，我生病了，住进医院。孩子们去看我，一见面，抱着我哭成一团。临走时，每人用纸包裹着他们的礼品，塞到我的枕头底下。拿出来看时，我又哭了，苹果是咬过一口的，糖也在嘴里含过。可你知道，这些 IQ 小于 70 的孩子，从自己的嘴里省下了最爱吃的零食。对他们来说,这就是智力和心灵的飞跃。

老师自豪地说，我们辛苦一下，让孩子们受到教育，他们从这里毕业后，将达到小学四年级的智力，掌握简单的劳动技能。他们可以自食其力，成为对社会有用的人。

4

头一次见到王铮和周婷婷是在电视上，《生活空间》为他们拍了一集片子，名叫《联合舰队》。真是奇妙的组合，王铮是周婷婷的耳朵，周婷婷是王铮的眼睛，联合舰队就这样劈波斩浪地前行。

我们操作《实话实说》有个习惯，在正式录制之前，主持人不和谈话嘉宾见面，这样是为了现场的谈话有新鲜感。可那天周婷婷和王铮想见我，我去了。

周婷婷见到我说，坏了，崔叔叔嘴巴不动。

周婷婷耳朵听不到，她刻苦练就了一个本领，读唇。看你的口形知道你说的内容。我说话的时候口形变化不大。

“联合舰队”的舰长和政委王峥（左）、周婷婷（右）。

我说这好办，我动作大点就是了，我试着说了两句，嘴形夸张地上下翻动，她们俩都笑了起来。

谈了一会儿，就到了吃饭的时间，从二楼走到一楼，策划宣明栋贴着我耳朵说，别扶。王铮不喜欢别人扶，这姑娘眼里看到的都是些色块，是些虚虚忽忽的影子，就这样，她照样敢骑着自行车在大街上闯来闯去。

我忽然明白一个道理，残疾人渴望尊重，而尊重他们最好的办法就是漠视他们的残疾。这就是为什么司德林不喜欢别人抬着他去故宫的原因。

如果有一天，我们和残疾人在街上相遇，擦肩而过，对他们肢体的残障视而不见，这就是社会文明的进步。健全人之间不就这样吗？

换个角度想，我们真的很健全吗？固然我们有手有脚，眼看得见，耳听得着，可我们的心灵呢？我们能理解多少，我们又能包容多少？自私、冷漠、狭隘、独断、专横、短视，我们谁没掌握一两样。

录像那天，现场笑声朗朗，所有的人都喜欢这两个健康的孩子。

2000年，她们大学毕业了，周婷婷去美国深造，王铮在沈阳工作。“联合舰队”停驶了，她们又成了两叶扁舟，在大海的两边遥望。

5

黄月、王金舫一家进入我们的视线是九八年初的事情。

策划宣明栋说，黄月一家愿意来现场讲他们婚姻调适的故事，我很惊讶。严格意义上讲，这属于个人隐私，当事人完全可以守口如瓶。

但他们敢讲出来意义就不一样，因为所有的婚姻都面临着调适。

黄月的腿有些残疾，这并不妨碍她对知识的渴求，一直读到研究生毕业。

王金舫在七六年唐山地震中成了孤儿，他一直对家有个渴望。

这对夫妻的调适和一般家庭没什么两样，仅仅因为那一点残疾和丈夫的工人身份，让许多人有了猜想。

节目定名为《家》，在九八年3月15日播出。

录像那天，《新闻调查》的同事张洁一直在现场看。后来，他在我们的内部刊物《空谈》上著文表达想法，题目是：《我们需要什么样的关怀》，全文如下。

几年前，一部叫《圆梦》的片子引起我的警惕，它记录的是一群贫困山区来的孩子在繁华都市场景中的迷乱与惊异。文明和文化的反差是创作者刻意强调的主旨，不管这片子最后圆了谁的梦，我都从这种故意制造的反差中读出了一种居心叵测——借助对弱者的同情来实现传媒人对自身文明与文化优越性的把玩。

今夜，走出《实话实说》演播厅，一段不安的情绪又在笼罩着我，这不安来自一期刚刚录制完毕的节目，它的主题是讨论婚姻生活中夫妻彼此适应的“调试”。这本身没有问题，让我不安的是实现这个话题的主体——脚部残疾却是研究生的妻子与身体健全却“初中文化小学水平(妻语)”丈夫之间的婚姻调适。

无可否认，从职业的角度说，这对夫妻的选择是独到的：健全的大脑与不健全的肢体结合于健全的肢体与不健全的大脑。这种反差带来的戏剧效果不言而喻。这本身就是排解不开的矛盾，无法回避的冲突。这，就是收视率。

但问题绝非那么简单。

当妻子对文化差异的难以沟通呈无可奈何的认同；当主持人关于婚姻调适的提问有意无意指向文化差异；当朴实内向不善言辞的丈夫在话题进行到一半被调度到嘉宾席上而手足无措；当自视有文化的丈母娘绝不用“满意”二字评价台上没文化的女婿时……我再次感受了电视操作的冷酷，这种居高的、略带窥视和猎奇却又显得不动声色的冷酷。

婚姻调适是人人愿听愿说又不可穷尽的话题，它涉及两性差异的读解与适应，自由、责任的限制与强化，还在理想与世俗，神圣与琐碎等众多伦理意识中的游移。婚姻的不可名状是因人而异而非因文化水平而异，当我们选择这样一对夫妻作为话题时，文化差异的凸显必然冲淡婚姻话题中纯粹的那一部分。话题走向也必定从轻松幽默走向沉重压抑。两位嘉宾的结合由于自身缺陷带有一定的宿命感，可以说，文化差异蕴含的悲剧性在他们走向婚坛那天就已埋下，观众的情感和价值无论倾向谁，都是对另一个从灵魂到肉体(完美与欠缺综合体)的粉碎。这就是小学文化却朴实善良的丈夫坐在幕后及走上台来听“妻子和众人谈论自己文化低给妻子带来的痛楚时”我们心中也隐隐作痛的原因。

这些年，随着纪实节目的成熟和谈话节目的兴起，随着电视的职业化操作和商业化倾向，从生活空间到心理空间，我们的神秘幽暗的镜头无孔不入，使本应温馨的屏幕变成无所顾忌的情感屠宰场，迫使我们听到了许多不该听到的心底流血的呻吟。

我们曾把“人文关怀”当做电视崇高的目标之一，当关怀缺乏善意时，关怀有可能变成伤害。我们不是戏剧导演，我们没有权利为有“戏”去放大本已不幸的故事、本已柔弱的情感。我不知道参与这期节目的录制，对这个家庭原有的裂缝是修复还是加大？但愿是前者，否则，我将会和我所尊敬的《实话实说》的同仁们一起变得惶惶不可终日。

我们并未与同事张洁针锋相对地探讨。

我们可以先看看结果，节目播出那天，黄月一家分别在两个屋收看。王金舫说，黄月讲得好，自己有点紧张。然后就是接听亲朋好友的电话，都询问去电视台录像的情况。

一家人继续正常地过着平和的日子。

关于黄月我想说，不是所有的研究生都注定要和博士一起过一辈子的。家庭生活这个课题不像实验室里的课题那样枯燥和高深，可研究透了也要投入一生的经历。

我想给张洁朋友讲个故事，老和尚带着小和尚出行，途中遇一少女过不了河。老和尚抱少女过了河。回到庙里，小和尚两眼失神，对老和尚说，师傅，你刚才抱了她。老和尚笑答，我都放下了，你还放不下。

回头再说黄月的一点残疾，她没在意，我们没在意，只有张洁是念念不忘记。

很多人也在猜测王金舫是否幸福，我永远也忘不了他说的话，我以前乱花钱，现在他们帮我攒起来。我有了儿子，又有了爹妈，现在我又有家了。

我们是不是无形中犯了错误，在爱情的门槛前把人分成三六九等。其实食品有好坏，衣服有贵贱，房屋有宽窄，只有爱情最公平。无论你多么富贵或贫寒，都可以追求属于自己的那一份崇高的情感。爱情面前人人平等。

如果我们心态正常，那么无论是黄月的身体残疾还是王金舫的文化水准都是婚姻调适中一方的特定情况，这和其他婚姻中某一方的嗜酒，好烟，拚命工作，酷爱收藏，非去旅游，总想更新家俱一样，只是一种存在的情况，谈不上对与错，只存在着度与过。

更何况，关于别人的爱情，我们自己的评价体系通常无法灵验和准确。有多少我们看上去的天作之合，实际上是貌合神离；又有多少我们看上去的同床异梦，实际上是心有灵犀。

当然，我们并不认为张洁兄说的没有道理，猎奇有时是一闪念的事，收视率也会牵着我们的鼻子。

警惕啊，电视人。

我们的“人文关怀”不能只是冠冕堂皇的口号。

九九年初，发生了另外一件事。来自全国的90多个左撇子会聚北京参与《实话实说》录制的节目——《我的左手》。

祝全华先生发言讲到自己因书写不流利给高考带来不便，我顺嘴说“考播音系呀”，现场一片哄笑。由于《实话实说》节目有很多玩笑和调侃让创作者放松了警惕，这句十分不得体的玩笑被编进了播出版。这极大地伤害了祝先生的自尊心，他写了文章在网上、报上发表，题目是：《崔永元，别把刻薄当幽默。》

崔永元因主持《实话实说》节目而成为家喻户晓的人物。然而，观众常常可以看到崔永元经常用话语设置陷阱，故意把别人推向难堪的境地——

崔永元在主持节目的时候，其幽默和调侃里面往往自觉不自觉地缺少一种善意，缺少对人的尊重。正因为这样，崔永元这个走红多年的红牌主持人很难让人们注意到他的人格力量。

多年来，笔者几乎每个星期天的早晨都将电视频道锁在“中央一台”。因为我曾给《实话实说》节目提过建议，并被采纳，还应邀参加过一期节目。正因为如此，笔者对《实话实说》包括对崔永元的了解也就多一些。

笔者忘不了那个残疾姑娘。她是硕士研究生，对生活有过美好的向往。但在婚姻面前，她不得不因自己是残疾而降低择偶标准，“屈嫁”给一个老实巴交的工人。可以说，两人在现实生活面前是因“优势互补”而走到一起的，两人心灵深处的冷漠和隔阂正在彼此的宽容和理解中不断消除和淡忘。但在崔永元看似不经意布置的陷阱中，两人生活的隐私和情感的疤痕暴露无遗！屏幕之上，众目睽睽之下，崔永元竟然近乎残忍地问："你是不是有点看不起他(丈夫)?"在他的诱导下，硕士脱口而出"是"！当谈及双方后来的接纳和好，崔永元又评判式地问："你是不是在降低标准?"面对如此戳人伤痛的问题，除了圣贤又有谁会回答得圆满呢？这种像玩弄积木似的刻意展览别人隐私的"实话实说"，无疑是对嘉宾人格和尊严的不恭与蔑视，当人们把目光投向其丈夫的时候，他只是难堪地笑着，痛苦地笑着。笔者难以想象这对夫妻走下屏幕后将如何"面对"，他们会不会因这次被邀请参加"实话实说"而产生新的隔膜?

笔者也曾经掉进崔永元设置的陷阱里。那种难堪，那种窘迫，并由此而带来的心灵创痛，也许一生也抹不尽，挥不去。

"嗑巴"历来是被国人取笑的。笔者偶尔着急时也有"嗑巴"的时候。为了避免"嗑巴"，笔者走进(笔者是被邀请的17位左撇子之一)中央电视台《实话实说》演播厅前做了充分的心理和话语准备。节目正式录制前，崔永元说"谁说话请举手示意我"，这样笔者心里就更踏实了。没想到正式录制时，笔者却是现场惟一没有举手而说话的人！崔永元突如其来的"引语"和举来的话筒，使笔者结结巴巴谈起过去因书写不流利对高考带来的不便，没想到崔永元插话取笑(也许他自认为是幽默)说："考播音系呀！"他的话音刚落，现场发出一片笑声。当时，笔者脑海一片空白，心里本想慷慨陈词一番，嘴上却一句话也说不出，最后只好以“行了行了我不说了”作罢。

笔者以为自己的“谈话”录像应该会被剪辑掉，没想到播出时这些镜头全部“展览”了出来。笔者深深地感到这是平生最难受的时刻！为什么要这样？崔永元想用笔者的窘态和痛苦证明什么？他怎么能随便置一个人的尊严于不顾？

这以后的日子里，笔者天天被这样一些话包围着：“你是嗑巴呀？”“你上电视怎么那么嗑巴？”好在这期节目由中央台国际频道播出时剪掉了后面令笔者难堪的镜头。也许聪明的崔永元这时考虑到了人权问题和国际影响，并非只是因为播出时间上的限制。

在笔者参加的那期节目录制前，还有一个“小插曲”也让人们看到崔永元宽容的不足和善意的缺乏，现场观众里有一个小伙子出于对名人的关注，小心翼翼过分保守地问崔永元二十几岁了？崔永元竟当场挖苦道：“你说话很有水平，完全可以调中央电视台来！”崔永元(他实际36岁)判断的失误和缺少肚量的表现，使笔者对他的尊敬立即减少几分。接下来他对邀请来的专家的态度更令人吃惊。他对专家说：“如果你们在这里讲话总是用‘据说’、‘大概’、‘可能’之类的话，我马上就把你们请出去。”他这么说绝对不是什么幽默和风趣，因为他说完话的效果是人人都绷紧了脸。

崔永元身上的“小”，还表现在他对同行的态度上。

水均益因主持《焦点访谈》而为大众所熟知，尤其是在美伊两国剑拔弩张、巴格达“黑云压城城欲摧”的关键时刻，水均益亲往报道，给电视观众留下了深刻印象。就是这样一位资深同行，崔永元也不失时机地用他的“便利”给“整”了一把。

《实话实说》有一期节目叫《感受坚强》。那期节目印象很沉重，因为节目的关键人物一个叫张穆然的少女在节目播出的头一天撒手人寰。好在那期节目有赵本山、水均益、白岩松、方宏进、敬一丹等众多名人雅士支撑，主持人崔永元也给观众留下了“整事儿”的嫌疑。当崔永元把话筒举到水均益面前时，水均益一时没站起来，崔永元便说：“站起来说，坐着不礼貌。”提示站起来很正常，但对水均益似乎没必要强调礼貌问题，即便是顺口说说，也应该当做“幕后戏”或拍摄花絮，过后剪辑掉也就算了。但崔永元偏不，他就是要把水均益当做一个不懂事的孩子展示给广大电视观众，他要的就是这个效果。这期节目播出后，笔者身边的同事都说崔永元“爱耍点小把戏整事儿”。这种结果是崔永元意想不到的，也是笔者所不希望看到的。

其实，调侃与玩笑的分寸与尺度既是一个至关重要的问题，又是一个难以把握的问题。同样的玩笑开在这儿可以，开在那儿不行，这个人可以接受，那个人或许不能承受。那么，分寸与尺度在哪儿，很显然，在对方那里。也就是说，我们的玩笑如果对方不能接受那就是不合时宜，所谓入乡随俗其实是文明的一个至高境界。

我曾经宽慰过，因为自己想通了这个道理。《实话实说》是即兴谈话，脱口而出，为了不出口伤人，我在日常状态中磨练自己，绝不讲黄色笑话，绝不开过火的玩笑，这样久而久之，才能让自己处在自然通达的状态。

现在看来，我的修行还远远没有达到境界。

一个电视节目，有笑声意味着放松、灵动、可视性强。但比起人的尊严来，这些要素一钱不值。

祝先生，对不起，请原谅。

7

我们收到了两封口吃患者的信。

信上说：因为口吃，我们受到无尽的歧视，我们甚至想到了死。

信上说：下雨天，我搧自己的嘴巴。

信上说:看到相声演员拿我们来逗乐,我们伤心和愤怒。

我们邀请这两位口吃的朋友来做节目,他们婉言谢绝。

后来，口吃患者郭桃英和言畅(化名)来到演播室和大家一起交流。

摄像邹德隆说，真没想到有这么严重，看来我们所有人都该反思从前的作法。

言畅因为不愿面对公众，坐在了我们特为他搭制的毛玻璃房内，观众只能模糊地看到他的轮廓。

既便如此，言畅仍然难以摆脱沉重的心理负担，他口吃的程度远比我们想象得要厉害。

相比之下，郭桃英的表达流利多了，问她诀窍，她说自己用的是发音法。我不明白这是一种什么样的方式，但整场谈话，自始至终，郭桃英的嘴角都在微微地颤抖。显而易见的是，她在用一种方式控制着自己，也就是说，我们看来平平常常的张嘴就说对他们来讲真的很难。

言畅隔着那层模糊了他面容的玻璃，费力地表述着，有时候一句话要开 3 次头，才能断断续续地说完。

口吃的朋友言畅透过玻璃和大家交谈。如果我们不能互相理解和尊重，我们之间将会永远隔着一层。

我们和中央电视台网站联动，很多网友也在参与这场讨论。

“口吃不算病，但是要人命。”

“其实口吃的人看着很老实，可他们的脑子是很聪明的。”

“告诉你一招，说不出话的时候，可以拍拍耳朵。”

“口吃是众多生理疾患的一种，它并不能阻挡你迈向成功的脚步，也不能成为你不成功的借口。面对它，战胜它，这才是问题的关键！”

做完这个节目，我更加知道自己一句不经意的玩笑对祝先生的伤害有多大，我真是后悔极了。

很多有口吃的朋友考虑再三还是没勇气来参加这个节

目，他们写了信，希望我们在节目中表述他们的观点。一位姓王的先生就提醒我们：

在同口吃患者交谈时，应该集中在他们说什么而不是如何说上。请改变你说话的速度，慢些，并在每

嘉宾郭桃英在录制现场过了生日。真巧，已经有3个人在这儿过生日了。

句话中设置几个暂停。请专注并放松。如果他们卡壳时，不要看别处，同时也不要死盯着他。不要打断他们的话，也不要帮助他们完成句子。诸如“慢些”，“放松”，“吸口气”之类的建议是没有帮助的，反而会加重紧张导致更严重的口吃。

8

1978年4月1日，西方的愚人节。

中国湖北武汉，老天和朴实的胡厚培一家开了个大玩笑，老胡家这天迎来了呱呱坠地的儿子胡忆舟，却被诊断为唐氏综合症，也就是人们常说的先天愚型。

舟舟既是不幸的，也是万幸的。因为舟舟的父亲在乐团工作，舟舟从小就生活在艺术家云集的环境里，受到关照。

父亲说，乐团团长开会，都不避讳舟舟在场，因为他听不懂，也不会传话。

舟舟常出去走动，公交车司机、售票员、附近商场的营业员都认识舟舟。舟舟不缺吃不缺喝。吃完喝完，舟舟模仿模特走一圈猫步，逗大家一笑。

舟舟喜欢看乐团排练和演出，喜欢拿一根筷子模仿乐团指挥。

乐团里的小提琴手刁岩发现了，他想，或许音乐可以开启舟舟的智力。

刁岩开始有意培养他，很长一段时间，舟舟不回家，住在刁岩那里。

一位到乐团访问的德国指挥家看到了这一幕，老人很激动，他把自己的指挥棒送给了舟舟。

舟舟终于登台演出了，穿着燕尾服，扎着领结，神气活现地指挥专业乐团演出《拉德斯基进行曲》。动作潇洒、刚劲、富于节奏，一曲完毕，场内掌声雷动。

人们陶醉在神话中，此时的胡厚培却显得异常冷静和清醒，他说，舟舟会什么指挥，那是艺术家们配合他，哄他玩。一语道破天机。

这个爱心故事被湖北电视台张以庆编导全程拍摄，纪录片《舟舟的世界》打动了无数的观众。

2000 年的春节，策划海啸、虎迪决定请舟舟全家和乐团进入《实话实说》演播室，重新讲述和演绎这个动人的故事。

舟舟来了，噘着嘴，因为刁岩叔叔送他的呼机在旅途中丢了。

舟舟一劲说，烦死了。虎迪灵机一动，这不正是接近舟舟的好机会吗？

舟舟一挥手，优美的音乐回荡在空中。

听了虎迪的话，我们买了一个彩色的寻呼机，买了舟舟最爱吃的鸡腿和可乐送上门去。果然，寻呼机一响，舟舟就抱着我说，你真是好人，我喜欢你。

这一幕在节目录制结束时再次出现，舟舟抱着我说，你真是好人。

舟舟不掺假，把我们也衬托得很纯净。实际上人和人之间的交往就这么简单，都直来直去，能免去很多麻烦。舟舟的爱和憎是摆在桌面上的，不用你花心思去揣度。而我们通常的作法是弯弯绕还要留一手，一来二去，大家绞尽脑汁，头上生出不必要的杂发。

春节期间，屏幕上挤满了色彩缤纷的晚会。这样一个非黄金时间播出的节目，还惹恼了一位天津的大爷。他在信上说，大过节的，播这个干啥，这不是一少部分人吗？

大爷，您听听辜鸿铭先生的说法，中国人之所以有这种力量，这种强大的同情的力量，是因为他们完全地或几乎完全地过着一种心灵的生活。中国人的全部生活是一种情感的生活——这种情感既不来源于感官直觉意义上的那种情感，也不是来源于你们所说的神经系统奔流的情欲那种意义上的情感，而是一种产生于我们人性的深处——心灵的激情或人类之爱那种意义上的情感。

或许因为我从小体弱多病，理应属于弱势群体，与这群人惺惺惜惺惺。在我看来，许多方面，他们其实更健全，更强壮。

人生变化无常，孱弱，通常是暂时的孱弱，健壮，大体上也是一时的健壮，所以我们大可不必为一时一事去自卑和高傲。

在我们离开世界之时，有人喜欢分一分，有逝世，去世，死了，完了之分。

而我们没离开的时候则都是一种状态，活着。

本章压题照片摄影：郭建设

东边，有个日本

这是朋友时新德在日本拍到的照片。
那些模糊的影子就是脚步匆忙的日本人。

亭亭白桦，悠悠碧空，
微微南来风，
木棉花开山岗上，北国之春天，
哦，北国之春要来临。

——日本民歌《北国之春》

下新庄是阪急电铁的一个只有慢车才停的小站，静谧，安宁，和谐。小小的手工豆腐店，简朴的咖啡馆，永远微笑的洗衣店，服务周到的只有两三名职员的邮电局，干净整洁的宠物美容院，一个人早九晚五守时尽职的榻榻米店，荞麦店……今天东家送一块手工打的豆腐，明天西家还一尊筷子做的工艺品，后天南家悄悄地往门上挂一串糯米棕子，大后天北家在路上拣到我丢失的手绢……分明是桃花源的世界，小小的下新庄表里翕然，不焦不躁，蕴藏着一种人性美的境界，那份温暖柔情将我包裹、覆盖。我偶尔打个喷嚏，流点鼻涕，他们都要大惊小怪一场。

这是中国留日学生刘燕的作品。在中国许多地方，许多人是拒绝用这样的方式描述东邻日本的。日本人在中国烧杀淫掠的年代只过去了50多年，由于手段之野蛮，作法之凶残，后果之惨烈，有过噩梦般经历的人都觉得一切就发生在昨天。

所以，他们转过头来打量那些讴歌日本的同胞时，一眼认定是在日本的日子调动起了他们内心的汉奸情结。

初见刘燕，看见她纤小的身体，周到的礼仪，日本式的化妆，特别是听她流利的日语，我内心也是如此感觉。

其实我们的感觉是错的。当幡然悔悟的东史郎挺身而出，怒揭日本人疮疤时，刘燕义无反顾地加入了进去。有了这个称职的翻译，东史郎一行的声音才在中国一次次放大。当然，她也要为此付出代价。下新庄的感觉更让她疑惑，“如此善良、老实、温顺、柔情的人民，怎么会与屠杀、掠夺、放火、强奸的暴行重叠呢”？

我们可以暂且放下自己的思考，一起去品味刘燕做出的结论。

刘燕说，“法国社会心理学家古斯塔夫·勒庞早在十九世纪末就在其名著《乌合之众——大众心理研究》中预言：‘我们就要进入的时代，千真万确地讲是一个群体的时代’，进入群体的个人在‘集体潜意识’机制下，在心理上会产生一种本质性的变化。就像‘动物痴呆、低能儿和原始人’一样，这样的个人会不由自主地失去自我意识完全变成另一种理智水平十分低下的生物。”

勒庞说：“因为我们从原始时代继承了野蛮和破坏性的本能，它蛰伏在我们每个人的身上。孤立的个人在生活中满足这种本能是很危险的，但是当他加入一个不负责任的群体时，因为很清楚不会受到惩罚，他便会彻底放纵这种本能。在生活中，我们不能向自己的同胞发泄这种破坏性本能，便把它发泄在动物身上。与群体狩猎的热情与凶残，有着同样的根源。”这里可以改成，侵华日军将野蛮和破坏性的本能发泄在他们认为连猪狗都不如的中国人身上。

索尔仁尼琴，在他的《古拉格群岛》中描写了苏联清洗时期，监狱中的集体罪恶。

古拉格群岛中最使人毛骨悚然的是少年犯。他们年轻，敏感，适应力强，上了群岛，很快学会了弱肉强食的强盗语言。更由于集中营明文规定要爱护少年犯，不枪毙，少体罚。于是他们胆大妄为。他们对女人的肉体的兴趣在勃发。一次，一大帮少年犯装作被吓坏的样子，说是一个伙伴病得快死了。护士情急之下，随他们一同进了大监室。这些孩子们像兽群一样扑上去，扒光了她的衣裳，吻她，咬她，强奸她。由于不准对他们开枪，没有人能把女护士抢救出来，直到他们发泄完兽欲。

这些孩子同样在侮辱老人，抢老人的饭，抢老人的衣物。

而老人们则认为“他们长大了也是魔鬼，应悄悄地把他们消灭掉”。于是，他们偷偷抓住少年犯，把他翻倒在地，用双膝压住胸部，直到听到肋骨的折裂声，便放走。这样几天后连医生都不明白是什么病，少年便命归西天了。

换个环境，人变成了野兽。

从古拉格走出来的人会在一个醉人的夜晚，拉着手风

一头白发的东史郎

琴唱起歌，深夜花园里，四处静悄悄，只有风儿在轻轻唱……

从战场上下来的日本人，也会收起带血的军刀，击掌欢歌，如果感到幸福你就拍拍手……

1999年4月的一天，在去演播室的路上，我被电视记者拦住了，此刻，你在想什么?

是啊，我在想什么?我马上就要进入演播室，采访东史郎，他亲手杀过中国人，50年前，他是日本鬼子。

对东史郎的采访很顺利，我和他并排坐着，近距离端详着他的一头白发。据说这是诉讼案带给他的，悲伤和愤怒写在上面。

这个位置坐过成百上千的嘉宾，从没像今天这样让我心情复杂。内心冲动难以抑制。时而想向那飘起的白发致敬，忏悔是正义与良知的甦醒，真正的忏悔应该赢得尊

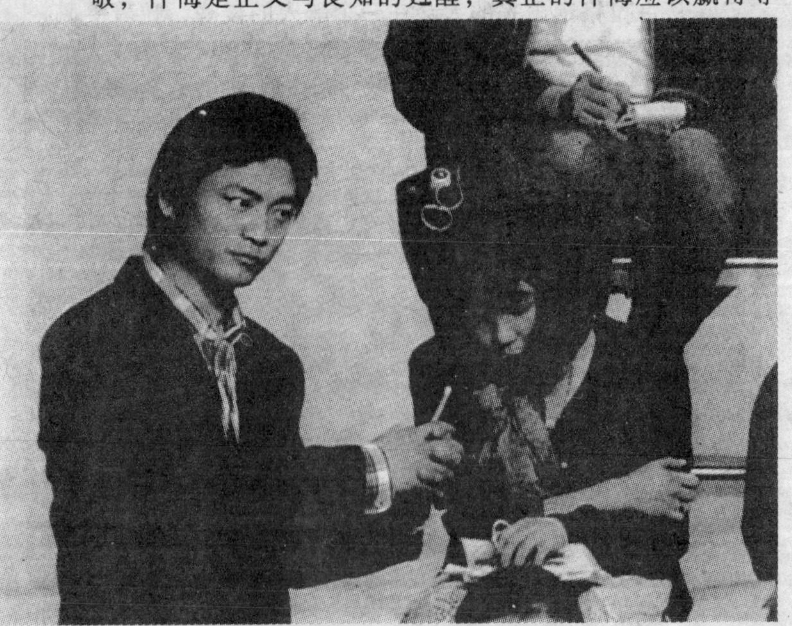

听水谷尚子发言时，我也是心潮起伏。

敬。时而，又想扑过去，撕扯他的头发，他和他的同伴让中国生出了多少冤魂。的确，我们深知，主持人这个位置该代表着几分理智，几分客观，几分公平。

但学术的确需要冷静，需要对等，需要环境，不是找个地方就学术得起来的。

而日本却在通过他们的历史教学，对国民施以学术矫正。相当多的日本人认为，“为什么美国人没有向印地安人，英国人没有向印度人，法国人没有向非洲人，西班牙人没有向墨西哥人道歉，却偏偏抓住我们日本人的辫子不放!”“美国朝我们扔了两颗原子弹，我们都没有要求美国道歉，可见中国人没有日本人宽宏大量。”

当普通的百姓都能把血腥归入学术的时候，背负着战争罪恶的人就如释重负，变得一身轻松。

研究“中日战争”(注意，不是抗日战争)的水谷尚子居然在节目现场发问，“谁说是30万(指南京大屠杀)，是一个一个数的吗?”她对现场即刻出现的愤怒不以为然，嘟囔着“中国人对日本太无知!”

如果一个中国学者提出诸如“广岛的人是被原子弹炸死的，还是烤死的”或者“日本妇女在街头被美国大兵强奸时有没有快感”一类的问题，不知会不会被算作无知!

如果中日学者在会议室里，在课堂上，在档案馆内心平气和地进行学术交流，当然无可指责。我们反对的是用学术掩饰事实的认定，掩饰历史常识的知晓，掩饰良心的责难，掩饰对野蛮、凶残、丧失人性的谴责。一切都被掩去的时候，战争就会裹挟着罪恶卷土重来。

二战结束以后，德国法庭上曾经出现过这样的场景，受审人双手抱头，放弃辩护，说在他面前重新展示出犯下的桩桩罪行，使他充满厌恶，不愿再活下去。邪恶受到如此深重的谴责，这便是对审判最高的褒奖。截至1966年，德国已经审判了86000名纳粹战犯。也就是说，这个民族曾经在法庭上86000次去谴责同一种罪恶。

比起德国，日本人显得忘性大于记性。

我们采访东史郎的节目名为《战争的记忆》，分上下两集播出。一个月以后，日本的《产经新闻》在6月2日以整版篇幅报道了这次讨论。大标题是《历史认识　暴露了日中之间的断层》，内容基本可以概括为“东氏被当成英雄，中国的政治意图显而易见”，“国营电视台的讨论，对‘事件’是一边倒的姿态……”

交谈中总是充满笑声

水谷尚子也在同年8月号《世界》杂志上发表文章《我为什么对东史郎唱反调》，传达她在中国电视台受到“围攻”的感受。强调中国的主持人和观众都对东史郎诉讼案缺少“预备知识”。水谷小姐还一头雾水地困扰在自己的学术背景里面。

2000 年 3 月，我来到日本。

第二天晚上，我们参加邮政省的欢迎宴会，日方有人发问，崔先生的节目里，请过日本人吗?我回答，请过，东史郎先生来过。我猜，这个话题会引起宴会的震荡，出乎意料的是，除翻译——我的同学朱弘以外，在座的日本人都没有听说过东史郎诉讼案。朱弘后来介绍说，这件事在日本没有什么人知道，少数报纸发了很小的消息而已。

也许这在日本并不奇怪。后来，我在日本发表的议论，如新闻报道太偏重国内，让受众眼界不宽，娱乐节目低俗化等等一概被视作笑谈。连我们发自内心的对日本同行敬业、高效率的敬重，也被视为客套话。日本人凭着自信生发了一整套处世的理念。自以为是文明、科学和现代的象征。其实，过分地自信与自负、自傲毫无区别。所以，不时表现出农耕时代的短视、粗野和蛮荒就不足为怪了。正合了中国的一句话“不审势即宽严皆误”。

志贺信夫先生，日本著名电视评论家。

72 岁的志贺信夫先生是值得尊敬的。2000 年，我们见到他时，他已经出版了 70 多本专著，真正的著作等身。为了我们访问的成行，他一次又一次的亲自出马，去说服官员。我们在日本期间，他抽出很多时间不厌其烦地回答各式各样的甚至很肤浅的问题。

临别前最后一次恳谈会后，我们都走出会议室。那天，大雨倾盆，风裹着雨绕过雨伞打在我们身上，我们一起担心志贺先生 72 岁高龄的身体，只见他疾步走在雨中，步履轻盈，充满活力。想象得出，面对人生一个又一个的坎坷，他都会这样健步前行。我们无话可说，走在他身后，经受风雨的洗礼。

那天在咖啡屋，我向志贺先生提出疑问，即便是在意收视率，低品味就无可指责吗?

志贺先生想都没想，说，电视台为迎合观众低级趣味来制作格调不高的节目，这是制作者和受众一同犯罪。

同样，正直也是没有国界的。

八十年代，世界范畴内和平之风荡漾，中国的媒介在这个时候让日本人，从鬼变成人。

当中国观众从银幕上看到清纯美丽的栗原小卷、吉永小百合、松阪庆子、山口百惠的时候，看到深邃的高仓健，憨厚的渥美清的时候，都大出一口气。原来日本不都是山田、松井一样的鬼子。

以后，就在大家吃日本饭，穿日本衣，坐日本车，使用日本电器啧啧赞叹的同时，战争的创痕也在渐渐淡去。

报纸上的标题暖人肺腑，让中日两国人民世世代代友好下去。

当然，战争的阴影在人们内心深处是挥之不去的，一有风吹草动，总会旧事重提。无论在什么情况下，人们会马上勇士般地站在自己阵营前，摆好决战阵势。这两年，日本产品在中国出现质量问题，中国旅客在日本受气，总是能引起轩然大波。其实，凭心而论，中国产品也未必不坑害自己的消费者，中国旅客也未必不受中国民航的气。

即便如此，我们也没一点理由责难中国公民的不理智。这是挥之不去的战争创伤使然。

我甚至这样想，有一天战争又起，我和志贺先生在战壕里相遇，谁会犹豫一下才开枪呢?

刘燕也有过这样的困惑，桥本(东史郎诉讼案的主角，东史郎指责他在战争期间把中国人捆入邮袋，浇上汽油焚烧，再扔进池塘炸死)用生硬的汉语同她打招呼，据说桥本在战后去过中国旅游，强调自己也盼望中日友好。桥本在战后也是“善良的、勤劳的日本人民”。刘燕说，我甚至无法将他与杀人魔鬼这样的字眼联系在一起。

现在，我们一起总结一下刘燕的学术研究结果，你会大吃一惊。有一天，当这个群体再次进入“集体潜意识”状态，野蛮和迫害的本能就会再次被激活。到那时，军国主义的队列中，有阿信、杜丘和寅次郎，一点也不让人奇怪。这样的分析和推导，苏联导演罗姆也做过。1965年，他拍摄了纪录片《普通的法西斯》，从片中我们可以看到，在“争取德国人的生存空间”这样一个民族主义口号的煽动下，那些普通的德国人转瞬就成了法西斯，杀人不眨眼。

他们杀人前几个月、几天或几个小时，或许还是一个平民，一个心地善良的普通人。

我们也该拿出足够的时间来探究一下，我们为什么总被屠杀!如果是用纪录片的方式，片名不妨叫《普通的受害者》。

民以吃为天

别人看是四个孩子，父母看来是四张嘴。

稻粱菽，麦黍稷。
此六谷，人所食。

——《三字经》

关于吃，民间有两条标准，吃饱吃好。吃饱在前，吃好在后。

在60年代，这样的家庭不算大。

由于工作忙，我回家看母亲的时间并不多，一进门，母亲洗手入厨房，忙碌起来。端上桌，看着我狼吞虎咽，母亲躲在一边垂泪。桌上摆的菜像双簧演员唱的那样：一碟子腌白菜，一碟子腌白菜……

我最喜欢吃的只是两样东西，白菜，粉条。

许多朋友冬天都惦记着去我家弄一顿酸菜炖粉条。热气腾腾，锅一开，雾气直抵屋顶。东西没进嘴，还不知咸淡，气氛已经先挑起来了。

其实，就目前家里经济条件而言，弄几个百鸡宴不成问题。但，属于我的餐桌为何这样清淡？母亲一语道破，这孩子的胃，一直用的是困难时期打的底。

穷有穷的吃法

按理说，1963年，国民经济已经开始摆脱困境。况且，我还花去一年时间长牙，不至于食不果腹了。长大后，我站在自己的角度观察与思考，我的姐姐、哥哥经受了饥饿，在吃上是不挑不捡。尤其是大哥可怜，基本上荤腥不沾。大年三十，全家聚餐，餐桌上美味佳肴，大哥依然是一碟咸菜，半个咸鸭蛋。衬托得侄子、外甥们吃相可憎，像一群饿狼。

而我的吃高雅不起来，一是受兄长熏陶，分不清好坏，进入了吃的误区；二是想必当时情况，高雅也高雅不到哪去；第三点可能是乍富还贫时，捡好的吃，没节制，吃顶了。

天下的母亲首先觉得对不起孩子的就是吃，依次下去才是穿和玩。所以母亲讲起吃来，很像《红灯记》里面的李奶奶痛说革命家史。1960年，父亲在部队挣的钱不少，到了北京站，3个孩子看见卖鸡蛋的挪不动脚(那时没我)，父亲掏出一张大票去买鸡蛋，却被告知要排队，而且每人只卖一个。于是，父亲就一次次排队，第一个孩子吃时，第二、第三个孩子看，第二个孩子吃时，第一个孩子已经吃完，联同第三个孩子接着看，父亲排得大汗淋漓，让每个孩子都吃了两回鸡蛋，而父亲，母亲却没舍得吃一口。

我开始对吃有印象是在1970年。林彪说要打仗，必须疏散，一声令下，我们被车拉到燕山脚下一个三面环山的村子里，和朴实的农民成了邻居。

他家的吃，让我着了魔。树上开的花可以吃，叫槐花，嫩树杈也可以吃，叫香椿，面条是灰色的——杂面，米是红色的——高粱。加上红薯，南瓜，桌上一摆，五颜六色，正合饮食的色香味。

我这才发现，原来自家的饮食如此单调，忿然罢吃。急得母亲捧着雪白的挂面去邻居家讨换乌突突的杂面。几顿下来，我明白了一个硬道理，吃起来容易拉下来难。

难吃归难吃，关键还是怎么吃。比如防空演习的时候，一伙孩子钻进地窖里，脚下磕磕绊绊的，摸起来像是吃食，塞到嘴里，有时是白薯，有时是萝卜。

房东大娘的那点宝贝让我们啃得七零八落，大娘还缺着牙慈祥地笑。每到傍晚，大娘家是一天中的正餐，总是听她高声训斥憨厚壮实的女婿，吃菜，就知道吃菜！弄点白菜心都让你王八蛋吃了，看看，吃一口馍，就两口菜，王八羔子！

农村里，1970年，菜以稀为贵。

那女婿吃起饭来嘴很大，吃法是往里面划拉。骂声不绝于耳，他像没听见，抽空还冲我咧嘴笑。

疏散了几个月，就记了个吃。

那时我还小，整日无事，常被部队炊事班的叔叔招呼去玩。

炊事班出了两个神人，一个有用少量鸡蛋做大锅蛋汤的绝技，看着蛋花满眼都是，想盛起来却没那么容易。于是下令在全团推广。另一个战士的绝技有点像现在的气功，简称“一刀死”，猪被捆好后一刀下去，喊都不喊，顿时毙命。表演那天，骗子蛋花汤一举成功。

杀猪的战士上场了，先敬个军礼，回头逼到猪的近处。眨眼间，手起刀落，那猪高喝一嗓挣脱绳子，拖着刀飞也似地跑了，战士怔在那儿，一动不动。

一彪人马追在猪的后面，猪跑个马拉松，累死了。

几个月后，搬回城里，炊事班的锅里也渐渐丰盛起来。周日是两顿饭，下午一顿最好，掀开锅盖，满眼是肉。那锅的直径超过一米，铲子换成了铁锹。炊事班小白话不多，用自己喜欢的方式喜欢我，发我两根筷子，把我抱到锅台上蹲下，他转身去忙活别的事，小小的我在沸腾的大锅边探着身子寻大块的瘦肉。

第二次就被母亲发现了，她尖叫一声，一把把我从锅台上拿了下来。前两天看到一则广告，一个螃蟹对另一只说，哥们儿，被人煮了吧！

这事怎么好跟人家小战士发火呢，母亲于是规定，以后不许独上锅台，大锅饭，就要大家一起吃。

开饭时，我抱着碗，站在队尾，先是连、排长总结和布置任务，然后唱歌："日落西山红霞飞，战士打靶把营归……一二三四"最后是连长一声急促果断的号令，开饭。战士们呼地一声把饭桶围个水泄不通。我挤近包子桶，包子已经没了，转身冲向馒头桶，排长叫住了我，只见他两根筷子，每根串着四个大包子。边吃边传授抢饭经验，不用看，只管使劲戳。

盛汤的口诀是：溜边沉底，轻捞慢起。为的是那点干货。

战士们吃饭突出一个快字，不到一刻钟，人去盆空。

细嚼慢咽在这儿用不上，因此个个练就一副铁齿钢牙合金胃。可怜的我只学了个形式，吃得倒是快，每天胃都疼。

现在回想起部队的饭菜，隐隐约约觉得五香粉的味道很冲。

这些年又有去部队的机会，感觉饭菜吃起来和民用的没什么不同。倒是1987年去新疆边防采访，吃到了军绿色包装的罐头，听我一个劲夸好吃，一个小战士趁四下不备，贴着我耳朵说，好吃，你天天吃一个试试！

大约是在七一年，出了炊事班碰上了饲养员，饲养员掰了一块豆饼抓了两把黑豆塞进我兜里，让我当零食吃。黑豆用盐炒的，很香，豆饼香过黑豆。等到傍晚回家，看见桌上的炒鸡蛋，没来得及说话，先吐了满地。急忙送进卫生所，小卫生员输液哆哆嗦嗦找不到血管，母亲气得说，一天去三个地方，这孩子快成你们部队的试验田了。

人间自有副食在

临近粉碎“四人帮”时，主食已经不成问题，副食还是跟不上，零食就更是少得可怜。有个伙伴带我去野外，吃一种叫野葡萄的果子。那东西长得小里小气，吃起来味道酸甜。另一种是酸枣，长在城墙外边，危险自不必说，吃几颗酸枣要扎半身的刺。还有一种，是草本植物，叶子酸酸的，搞不清学名，随伙伴叫它“酸不丢”，偏偏喜欢长在坟头上。伙伴总喜欢带我去他爷爷的坟上采，顺嘴就吃起来，半夜大口大口吐酸水，还梦见他爷爷说：活该!

我家一个女邻居头发弯弯曲曲，总说自己是上海人，那时候说是上海人就像现在说是火星人。

不知道上海在哪儿，并不妨碍我对她不屑。母亲却认真地说，她说是就该是的。果然，那女邻居失踪了一段，再出现便说是从上海回来了。母亲去串门，拿回来一个小塑料袋，告诉我里面装了 10 片对虾片。

母亲坐在床边发愣，一定是在想做馅还是单吃。最后她决定让身单力薄的我独自享用，于是小心翼翼地取出虾片放在热水里煮，过一会去看，虾片消逝得无影无踪。

家里男女老少加上猫都被母亲怀疑了一遍。

过在嘴里的春节

春节是值得大书特书一笔的。物资突然间丰富，家家户户囤积起来，单等除夕一到，大开杀戒。

除了购货本上的每人半斤花生，二两瓜子，部队居然还搞到了栗子。可能与驻扎地有关吧，历史上良乡的板栗就是贡品。

“听说过，没见过，两万五千里”，崔健这句歌词用在母亲身上很合适。母亲按糖炒栗子的字面意思在门口的锅台上炮制，开始没声响，有声时一下就炸飞了锅盖。全家只好躲回屋里，隔窗观望。直到后半夜动静小了，才打着手电，一个一个找回来，好在有院墙，基本上是颗粒归仓。

春节买鱼买肉是个艰巨任务。带鱼要宽，猪肉要肥，不认识售货员门儿都没有。我二哥肩负重任去了菜市场。后院的赵姨、王姨在菜市场工作，排队的人多，火气大，弄得亲人不敢相认。赵姨挑上几条6指宽的鱼称给二哥，被一人看出破绽，问赵姨，为什么他的鱼那么宽，赵姨头也不抬：赶上了。那人一气，鱼不买了，转身跟二哥来到了肉柜台，眼睁睁看着一块大肥肉放到秤盘里，这次他不问王姨，问二哥，你是不是认识她？这回轮到二哥表演了，翻着白眼说，谁认识丫的！

晚上王姨下班直接来到我家，见到我妈劈头盖脸一顿指责，什么狗屁儿子，说不认识，还丫的。

这时，肥肉已经变成了油和油渣。母亲陪着笑脸给王姨说着宽心话，盛了一碗油渣让王姨带回家。王姨不要，说我还缺这个，就是说这事讨厌。

于是，俩人又笑骂一顿二哥，王姨这才起身回家。

有了油，另一种食品应运而生：油饼。

面是糖和的，一张张炸出来，趁热吃。这天晚上母亲发现儿女们个个饭量惊人。炸完油饼再炸排叉，一种先旋转再油炸的面食，春节期间走亲戚，吃饭不规律，排叉随时可以充饥。

等我玩到下午回家时，伏窗一看，几十只麻雀冲进家里，在偷吃排叉。我飞也似地跑去告诉母亲，母亲二话没说，跑回家，第一个动作就是关窗。

几十只麻雀被生擒后分批吃掉。

除了麻雀，还有知了、青蛙、蚂蚱，逮着谁吃谁。

以吃会友

春节一过，日子又清淡起来。

母亲开动脑筋，自制零食给我们解馋。

做米饭多闷一会儿，结出一张锅巴；柴草将熄的时候，扔进去一个白薯或土豆，烤熟以后，香味冲鼻。

肚子里油水不够，常常是晚上还没睡着，又饿了。所以我最怕晚上看电影时出现吃的场面。

对许多人，这些场面肯定会历历在目。

《沙家浜》里的芦根、鸡头米。

《地道战》里假武工队吃的煮鸡蛋。

《战友》里小孩手捧的杨梅。

《小兵张嘎》里嘎子吃的玉米和胖翻译吃的西瓜。

《鸡毛信》里鬼子们吃的烤羊腿。

《少林寺》里和尚们吃的狗肉……

前些日子失眠，半夜爬起来看VCD，李安导演的《饮食男女》。刚看个头就饿了，打开冰箱，拿出一只整烤鸡，撕扯着吃掉，立时神清气爽，一下就进入了艺术的殿堂。

我写吃，是记录细碎的经历。作家们写吃，纯是艺术的享受。不吃便已陶醉。

阿城的《棋王》中，有两处吃让人过目难忘。

一是王一生吃一粒干缩了的饭粒儿。

“一粒干缩了的饭粒儿也轻轻跳着。他一下注意到了，就迅速将那个干饭粒儿放进嘴里，腮上立刻显出筋络。我知道这种干饭粒儿很容易嵌到槽牙里，巴在那儿，舌头是赶它不出的。果然，呆了一会儿，他就伸手到嘴里去抠。终于嚼完和着一大股口水，‘咕’地一声儿咽下去，喉节慢慢移下来，眼睛里有了泪花。”

二是知青们吃蛇。

“不一刻，蛇肉吃完，只剩两副蛇骨在碗里。我又把蒸熟的茄块儿端上来，放少许蒜和盐拌了。再将锅里热水倒掉，续上新水，把蛇骨放进去熬汤。大家喘一口气，接着伸筷，不一刻，茄子也吃净。我便把汤端上来。蛇骨已经煮散，在锅底刷拉刷拉地响。这里屋外常有一二处小丛的野茴香，我就拔来几棵，揪在汤里，立刻屋里异香扑鼻。大家这时饭已吃净，纷纷舀了汤在碗里，热热的小口呷。”

这是真正虔诚的吃，是饥饿年代的风景。

前些时候，有幸和阿城先生相会在北京，便要了一桌饭菜表示对他的敬意。他只是狠抽烟斗，象征性地拈了一点蔬菜。看来，他已经完全摆脱了西双版纳的饥饿情结，几年西餐下来，人也发福了。

走进张贤亮的《绿化树》，吃的是面食。

“我干活的步骤是符合运筹学原理的。这时，炉子已经烧得通红了：烟煤燃尽了烟，火力非常强。我先把洗得干干净净的铁锹头支在炉口上，把稗子面倒一些在罐头筒里，再加上适量的清水，用匙子搅成糊状的流汁，哧啦一声倒一撮在滚烫的铁锹上。黄土高原用的是平板铁锹；宛如一只平底锅，稗子面糊均匀地向四周摊开，边缘冒着一瞬即逝的气泡，不到一分钟就煎成了一张煎饼。

我一上午辛辛苦苦地忙碌就是为了这个美好的时刻！

我煎一张，吃一张，煎一张，吃一张……头几张我根本尝不出味道，越吃到后来越香。”

读到这，已经垂涎。

还有陆文夫先生笔下的《美食家》，没法摘，一本书从头吃到尾。

吃品与人品

上大学的时候，最喜欢开学第一天。外地同学带回家乡美食，湖南的腊鱼、腊肉，内蒙的奶片，贵州的辣酱、河南的烧鸡。父母为孩子精心准备的半个学期的储备，通常是一晚上就被我们吃光了。北京的同学过意不去，相约每人从家里带一盒好菜，周末聚餐，王某同学人头儿次，带一饭盒炸虾片蒙事。真正的北京人挺抠，我由此得出结论。

学校的饭菜油水不多，份量也不足导致同学们个个饭量惊人，一次我连米带面吃了5碗，胃里隐隐作痛。宋健安慰说，没关系，不够一斤。

实习的时候，晚上躺在床上神聊。人生和理想，说到凌晨3点钟，肚子饿了，起身去寻吃的。所有店铺都关门，唯有一个馄饨摊孤独地支在街口。

卖馄饨的小伙家在浙江，因生活所迫，漂泊在沙市街头做着小本生意。听说我们来自遥远的北方，顿时生出“同是天涯沦落人”的悲凉。舀馄饨的抄子捞得发狠，总要多送上几个。同学和我心存感激，不知如何报答。同学说，别费心思了，咱们每天去吃，就是对他最大的报答。心中一块石头悄然落地，遂转过身去，蒙头大睡。

当了记者，吃饭的机会不少。有时，一堆新闻单位的人坐一桌，互不相识，不好意思多吃，便佯装对桌上生猛海鲜不感兴趣，吃两口青菜匆匆告辞。回到单身宿舍，点火煮挂面。有时纳闷，都是年轻人，他们就不饿?一次没走，耗到最后，才见到挺下来的几位风卷残云、吃光喝净。正是，谁等到最后，谁吃的最好。

张嘴就有学问

中国人讲究吃，天塌下来，也不能耽误吃。病入膏肓还有人劝，想吃点什么，就吃点什么。验明正身，押赴刑场之前，也会送上一顿好酒好菜。更常见的是，“酒杯一端，政策放宽”，只要吃了，关系就进了一步。

我当上记者的第二年，去调查一个靠假冒伪劣发家的人。事情办完，已经天黑。制假者叫来了他的两个小姨子，浓妆艳抹，一左一右，夹着我非要请我撮一顿。我执意不去，却无法脱身。我急了，对天大吼，走，吃海鲜去。那时的海鲜是天价。

席间，杯盏交错，我好歹掌握住了分寸。

制假者把我送上了火车，隔着车窗问，崔记者，那稿子还发不发?我咬着牙根说，发!

稿子播出，制假者受到处罚。我也因这顿饭受到严肃批评。

同一年，我去南方采访，一动物保护协会设宴招待，端上了一桌野生动物。看我们面有愠色，忙解释，这都是收缴来的，已经死了。

我犹豫再三，站起身走了。

比起来，“自然之友”的杨东平先生则是旗帜鲜明。在常州，服务员端上一盘活虾，一盘烧烫的石头，说是要做桑拿虾。杨先生坚持要他端下去，服务员不知所措。杨先生循循善诱，可以吃，但不能虐杀。

令人难以忍受的是在珠海，我们去录制澳门回归的节目，中午吃饭走进了郊外一个院落。这里俨然一个动物园。我问，这都可以吃吗?当然!动物太多记不住名字，只知道有雀，有鸥，还有鹤，当然少不了各种蛇。制片小谷悄悄说，前天我们来时，还站着一头驴。我们问驴的去向，回答是，吃完了。

前两天听了个段子，一个外星人被逮着了，北京人说要送研究所研究一下，上海人说可以办个巡回展览卖卖票，广东人说，尝尝什么味吧。

广东的吃已经引起环保人士的高度重视，省领导带头签字，表示不能乱吃。

九九年《实话实说》的春节特别节目被定为《吃的故事》和《吃的学问》。征集广告一打出，应征信像雪片一般。策划虎迪看着信眉开眼笑，嘴里不住地说，成了，成了。

天津的徐建华认为，要想抓住儿子的心，先要抓住儿子的胃。

北京的徐慧玲说，自己嘴上有吃痞，最适合做这期节目。

沈阳的李福迅则说，下乡当知青时吃过瘟猪肉。

北京的陆晓黛说，老公做的“小雏鸡”，居然是实验用的小白鼠。

河南的茹炳林要推荐洛阳水席，原因是周总理夸奖过。

湖南李申玲的故事似曾相识，六二年，家里做面条，全家眼巴巴等着，面条出锅时，老师恰巧来家访，一口气

出去旅游，和女儿一人吃一条小鱼。小时候穷，
只能吃小鱼，现在就总是觉得小鱼比大鱼好吃。

吃了 6 大碗。全家人尊敬老师，更心疼面条。

阿城说：

“所谓思乡，我观察了，基本是由于吃了异乡食物，不好消化，于是开始闹情绪。”

这个理论，我实践过一回。

好友石向东约我去了韩国，在那儿，每天有朋友请我们吃烤肉。10 天后，我终于没了食欲。小石拉我去了昂贵的中华料理，说是调理一下肠胃。哪知韩国的中华料理竟然和韩国料理毫无区别。一会儿，餐馆的老板走进来，一张嘴，并不会讲中国话，再一打听，虽是华裔，却从没到过中国。可见，他的中华料理只在理论意义上成立。

回到北京，住处附近的建筑工地正巧开饭。民工们围着饭菜你争我抢，一股酱香飘入我的鼻中，两眼开始扑簌簌地落泪。于是明白，树高千丈，根还是在萝卜白菜附近。

爱情·有病·球

我的足球观：重在掺和

虽然你见过一个鸡蛋，可是你却未见过所有的鸡蛋。

——（美）保罗·霍夫曼
《阿基米德的报复》

评论部有个内部刊物叫《空谈》，是大家用文字发感触的地方。每周三开例会发给大家，挺抢手。因为大家如果不爱听领导传达，就可以低头看自己哥们儿、姐们儿的言论,后来领导下一道死命令,先开会,会后发《空谈》。

这让我想起“文革”当中为招徕大家开会总是宣布会后放电影。

《空谈》发行量百份，比不得《十月》、《当代》，但能拿捏好自己文章的分寸让同仁们瞧着顺眼，则是另一回事了。

写得太正，大家会说，装什么，这又不是《电视研究》。

写得太俗，大家又会说，拿《空谈》当厕所文学了。

当你把握得恰如其分的时候，会在周三这天让自己的身份飙升好几个百分点，男编辑们夸你是汉子，粗中有细；女编辑们无话，呲着白牙冲你乐。

下面的3篇文章都是我写的发在《空谈》上。

其中第一篇《评论爱情》广受好评。

现在《空谈》成了独立的“东方时空工作室”的内部刊物，新闻评论部的新内部刊物定名为《实话》。

评论爱情

来评论部后忙于工作，闲暇时间极少，所以总是庆幸自己既结了婚，又有了孩子，如果等到现在，哪有这番功夫。

后来观察思考了一下，发现这并非只是时间的问题，爱情在评论部，果然有诸多麻烦。先说时间吧，忙忙碌碌，东奔西走，外出采访，回来编片，难得有请姑娘们划船的时间，闲情逸致总是被工作搅掉。再说空间，虽然每天都接触采访对象，但把采访对象变为恋爱对象却很难，似乎也违背这个行业不成文的行规。那就回部里找吧，也不易，本部男女由于夜生活频繁，脸色以菜色为主，于男人少了几分神气，于女人则更甚，因为菜色多了，姿色自然少。本人曾为部联欢会创作三句半，其中有段说女编辑“过上两年您再看——大嫂”居然引起强烈共鸣，可见是实话实说。

问题还远不止于此，由于评论部隶属于中央电视台，青年男女们往往不自觉地生出一些中央级自豪感，谈恋爱时，自以为身价高了两倍，这又排除了一些纯民间的俊男靓女成为评论部家属的可能。

还有更可怕的，电视台终日这晚会，那联欢，美女如云，节目主持人中亦不乏国家级美脸，常和她们照面，岂能不眼前一亮。而照着这个模子去找家属，纯粹是刻舟求剑。

常常见到评论部年轻的同仁无事时在办公室无聊，饿了吃几块饼干，困了倒沙发上便睡，蓬头垢面，无精打采，心中总是充满同情。我常想，这场景，让他们的父母看到，会如何想。

发现问题容易，解决问题挺难，得上下一起重视才行。聆听领导教诲，总鼓励你努力工作，可他们怎么都结婚了。当然，靠人不如靠自己，大主意还得自己拿，自己想办法。

所以，我劝我年轻的同仁去看看《泰坦尼克》，那当中有成功的榜样和经验。那男主角小伙子算什么，一个穷光蛋而已，可他既不沮丧，也不自卑，赌博赢了张船票，上了船照样敢追头等舱的女人，即使知道她是别人的未婚妻(当然这点不一定学)。可学的就是他的敢爱，该出手时就出手，这正是男人的魅力。那女的也值得一学，她不看钱，看感情，不看地位，看才华，不在意失去多少，只看重得到的真切。如此这般，才有了这场轰轰烈烈，荡涤灵魂、可歌可泣的爱情。

要说恋爱环境，我看他俩的也很糟，周围几多白眼和嘲讽，后来甚至有追杀，而真爱情经得住考验。一次和一年轻同事说到爱情，他马上说房子、户口、家具……看清了，人家俩可是在船上，下了船，也不知前途在何方，就这情况。

所以，看到船体下沉后，小伙子泡在冰冷的水中对姑娘说："答应我，你要好好活着。"我竟然泪流满面，我真想为我年轻同仁的爱情也遍洒泪水。

将来我们会老的，当我们满头银发，历数着自己的往事，有金奖、银奖，有自鸣得意的节目，有夸奖和表彰，惟独没有爱情，那将是终身遗憾。

春天到了，年轻的伙伴们，让我们抓紧吧，四面出击，去寻觅爱情，抛开杂念，一往无前，不管前面是地雷阵还是万丈深渊。

春天到了，秋天还会远吗？

有　病

如果有人说你有病，你会怎么样？

别急，你真的有病。

虽然你体温正常，消化吸收不错，看上去脸色不差，但下列情况你有吗?爱着急、没脾气、心情压抑、整天高兴、终日消沉、总想成功、什么都不想干、总想工作……

这都病得不轻。

《实话实说》中，专家说心理疾病分两种表现，一种是承认,那该看医生就快去,一种是不承认,那肯定是有病。

其实承认有病有何不好呢?比如你和领导有矛盾，一方承认自己有病，另一方就会谅解，如果两方都承认有病，就会同病相怜。

心里有病不像身体疾病那么好观察，查大小便没用。有时表现在身体上(术语叫“躯体反应”)还好，比如脖子硬、眼睛涩、手麻、睡不着觉等等，顺藤摸瓜便可对症下药,而多数情况是无任何反应症状,让医务工作者干着急。

为什么人会心里有病呢?原因很简单，社会在进步，社会的进步超过了你的进步，或你的进步先于社会进步都会得病。心理医生偏方如下,一是调动你主观能动性迎头追上社会，或调整你的步伐等等社会；但此方不去根，这厢病刚好,那边病又上来了,所以正常情况是你总显得龙体欠安。

其实心里有病不可怕，照样可以吃饭、喝水、工作、谈恋爱、生双胞胎。你会说这也算病啊，当然，不治可不行。病来如山倒，不治等倒了，于国于民不利。就是工作累倒的，也很难与泰山相提并论，因为是心里有病，不挂相也就不好做结论。

从现在开始，你要把这当个事。

经常问问自己，该笑时笑，该哭时哭，心里有事想不开，就和家人聊聊，有朋友和朋友谈亦可，别嫌事小或下作，去和领导讲讲也行，政治思想工作也是心理治疗的一部分。如此这般还想不开，就要去做心理咨询，看心理医生，别怕花钱和时间。要堂而皇之告诉大家，明天我不上班，我去看心理医生。

过去我们观念陈旧，总觉得身体有病好说，心里有病难办，得个痔疮都嚷嚷得满楼道知道，可心里病得小脸惨白了，还硬撑着，何必呢?

《实话实说》中，专家们还说，重视心理卫生就标志着社会文明程度增强。

当你的同事心里有病了，你不要嘲笑他，应像他身体有病一样对待，安慰他、鼓励他，送他时令水果。

我最近心里就特难受。

做为评论部足球队的主力右前卫，我已经参加了 10 场足球义赛，进了一个球，是个点球。

球

组里有不少球迷，世界杯没开张，就嚷嚷着做期节目，于是便做了《足球·家庭·爱情》，谈的是由足球引发的夫妻矛盾。播了还觉不过瘾，还想做一期。便着手收集资料，开始在节目中打出话题“我看世界杯”，公开征求嘉宾。

等到 32 强掐起来的时候，球迷的热情大增，热线报名不断，甚至有官员发来传真，声称嘉宾非他莫属。待到球赛进入残酷的阶段，宣传指令也不断传来，不要说中国足球，也不要说亚洲足球，不要说裁判问题……剩下的随便说。

瞅瞅没剩下什么，决定放弃这期节目，但球迷的热情让人割舍不下。每天都有人哑着嗓子报名，可以联想到他们血红的眼睛，熬到这份上，还不忘一吐为快，心中有多郁闷可想而知。后来在决赛前夕，我抽空儿看了场中国队和乌兹别克队的比赛，两队突出一个慢字，倒脚功夫很深。刚刚看完世界杯赛场，这比赛干脆没法容忍，我以一个职业者的心态挺着，和眼皮做着艰苦的抗争，最后到底是没洗洗便睡下了。醒来后，听到老婆念叨，怎么咱们这球场比人家大呀，好像场上的人也不够用。

眼看巴黎的战火就要熄灭，节目还做不做又提上了日程，整整一个下午争论不休。策划海啸心思不太稳定，混了十几年，刚分了三居室，正忙着装修，总说，你们定，要是做，我就写策划案，要是不做，我去买圣象地板。

那天已经出来了四强，楼道里总是有人为谁是冠军争吵起来，喜得我在厕所里都呆不踏实。忽然一个念头冒了出来，何不让冠亚军争夺国的球迷代表亮亮相，表面的话题是谁可以夺冠。可谈的内容却极多，两国的足球传统，足球土壤，足球人才的培养，对职业球员的要求，对输赢的态度。好，主意已定，我料理完如厕之事直奔会议室，道出思绪，立马获得通过。

策划海啸和虎迪拉开架式，列出日程表，凌晨决出了决赛参战队，上午便和他们的大使馆联系，请求协助推荐参与人员。

巴西胜了，一大早，虎迪便开始联系巴西大使馆，用的是礼貌用语，先祝贺他们取得决赛权，然后把醉翁之意一五一十道了明白。然后轮到那边发话了，我是接线生，昨晚看球太晚，他们都睡觉呢，您中午再打吧。

到了晚上，两位策划一进办公室就惊呼，大事不好，如果是克罗地亚进决赛，可找不着人。商量来商量去，大家一致认为，办法只有一条，让法国队赢。

录像那天，双方的阵容一露面，我脑子里便冒出了一个词语，乌合之众。果然，法国的 3 人小组，既不太懂足球，也不太懂中文，坐在那儿话跟不上趟，让巴西人狠一顿挤兑。弄得现场观众于心不忍，纷纷倒戈，支持纤弱的法国人，居然有人发言说，老是巴西夺冠有什么意思啊，也该轮到别人了。整个一个不讲理。

录完像，我问法国人，你们为什么不派真正的球迷来，他们说：真正的球迷都回法国了。

后来，傻乎乎的法国人果然捧起了金光闪闪的大力神杯，让我想起两句话，一句是中国民间俗语，傻有傻福气；一句是业内人士常挂在嘴边的，这就是足球。

睡 不 着

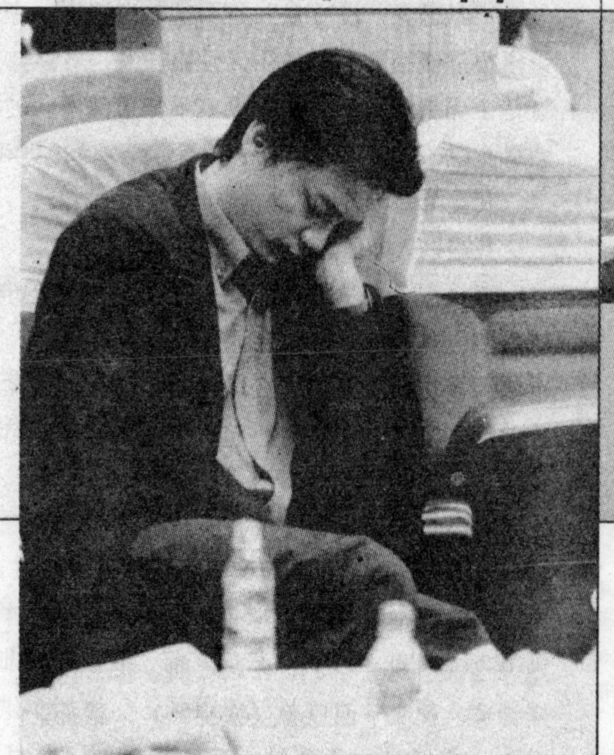

下午录完像，休息 3 个小时。晚上还要录像。吃完盒饭，我居然睡着了。同事怕我着凉，叫醒我去演播室放平了睡。结果你知道，一放平又精神了。

不睡觉，没有梦。

——非洲谚语

“不睡觉，没有梦”是一句非洲谚语，译者说，这句谚语很能概括非洲人的乐天性格。我一看就知道，这个译者是个倒头便睡的主，他根本不知道睡不着的滋味。我的意思是说，一个人睡不着觉再不乐天，那他就死定了。

我是个睡不着的人。

我难以入睡的经历从高中开始。

那是在考大学之前的某个晚上，我忽然难以入睡，辗转反侧。具体的原因早已淡忘了，现在想来，无非是一旦落榜，街坊邻居会说什么样的闲话，父母将发什么样的言论等等。实际上是因为心理负担过重，背上想赢怕输的包袱导致的恶果。

如果第二天父母发现我眼睛红肿依然笑声朗朗，亦或放言道，考不考的也没啥关系，这事也许就过去了。

偏偏母亲听说我失眠来了精神，好像红军到了陕北。她说这说明我上心了。在这之前，我坐在桌前攻读课本如坐针毡。枕头下面压着《铁旋风》，厕所里供着一本《红岩》，吃饭时一手掌勺一手还要翻看《李自成》，母亲说，没听说谁看小说看进了大学。

一年后，我和另外 7 人躺在臭哄哄的男生宿舍里比着看小说，又想起了母亲的话。的确，一个人看小说看不进大学，可进了大学就可以光看小说。

老师在课堂上煞有介事地开着书单，从《诗经》开始，当中涵盖各种经史子集，以及眼熟的世界名著等等。

一下课，全班挤进图书馆，每人先抄上两本小说再说。我去得晚，凭书名可以知道内容的小说都被拿走了，剩下几本不知所云的孤零零地立在书架上。

上大学时，已经是失眠高手。但白天看上去还行。

我挑了一本《围城》，因为我看过电影《兵临城下》，估计就是根据这个改编的。

回宿舍一翻，两码事。

于是我就发议论，有个叫钱钟书的小伙子，文笔真是了得。我旁边的同学瞪大了眼睛，像看外星人一样，你连钱钟书都不知道，连《围城》都没看过，他们嘴里发出"啧啧"的声音，脸上浮出鄙夷的神情。

我说，那你们在看什么？

他们把封皮冲着我，是巴尔扎克的《高老头》，罗曼·罗兰的《约翰·克里斯朵夫》和紫式部的《源氏物语》。

于是，我冲天大喊，四人帮，还我青春！一屋子人都吃吃笑。他们说，我们也是粉碎“四人帮”以后开始看的，其中一个人收起笑容后露出几分严峻，他说，大概你太爱死啃课本了。

这是说我吗?

更严重的事情也发生在我第一次失眠以后，准确地说是在母亲说我上心了以后，她用了两个小时的时间告知我，睡不着是咱们的传家宝。

姥姥就是这样，没多少觉。邻居阿姨来看她，拽着人家一通猛聊，聊得那阿姨困得频频点头，姥姥眼神不好，还以为人家同意她的观点。姥姥不睡觉，成了家里的闹钟，4 点钟她叫醒我父亲赶回团部，5 点钟叫醒我姐姐回农村分校，6 点钟叫醒我和两个哥哥起来参加北京——延安象征性长跑。总而言之，天黑以后，姥姥经常拄着拐杖两眼放光四处乱走。

到了白天，姥姥变成另一个人。倚着被垛，坐在炕上，无声无息，困倦一阵阵袭来，她不住点头，像晚上的邻家阿姨。我放学回来，去拿放在她身边的蛋糕，连拿 3 块，她都没有察觉。忽然，一阵微风吹过，扬起了姥姥头上稀疏的白发，深深的皱纹呈现在我面前，姥姥的苍老拨动了我脆弱的神经，那一刻，我哇哇大哭。姥姥慌了神，用她粗糙的手抚摸我的前额，我说，姥姥，你可别死啊……

晚上回来，姥姥让母亲去买一只公鸡，她悄声对母亲说，下午，小鬼附上老四的体了。

1989 年 7 月，84 岁的姥姥走了。舅舅说，老人家头天晚上吃过饭就躺下了，一睡就没醒。一辈子睡不着的老人家临走之前也算睡个好觉。舅舅说，好在没受罪。

老人在的时候大家没觉得有多幸福，老人走了，才知道有个慈祥的老人日子会多完整。蓝天上有一缕白云，没有白云，天不会显得那么蓝；鲜花旁有一束绿叶，没有绿叶，花也没有那么艳。

母亲说，她的失眠是从姥姥那儿遗传的。

不知有多少个夜晚，我躺在床上睡意彷徨的时候，总能从门上的窗里看到母亲屋中明亮的灯光。灯管有些老化，发出夸张的嗡嗡的声音。母亲在灯下看书、看报、看杂志，这让母亲成了有文化的人，知识的补充是用失眠的代价换来的。失眠者看报也是一道风景，母亲常常可以随口说出报上铜钱般大小的广告的内容，可以向你推荐藏在报纸中缝的民间偏方。

等到母亲屋中的灯灭了，我的世界也随即陷入黑暗。但是，这往往不是甜美梦乡的开始，而是结束了一个困，开始一个更困。

我进入电视台，开始痴迷于科学的时候，从心理学上明确了一个原理，叫心理暗示。简单讲，就是都说你有病，你就真觉得有病了。

如果母亲知道这个道理，完全可以把家族的不睡之风轻描淡写，恰恰是她在我面前的一次次重复，让我成了真的失眠者，这便是暗示的威力。

所以，我对我 4 岁女儿的不睡采用了科学的对策。

凌晨一点，我发现她握着床栏伫立着眺望，她说，爸爸，我可喜欢吃酸奶呢。

我从不惊讶，用最平和的语气说，是吗，睡觉吧，明天去吃。

我在黑暗中监控着她，先是躺下，然后嘴里无限向往地吮吸一下，接下来轻轻地睡着了。

这多好，不用舒乐安定，美乐托宁，褪黑素，脑白金，咔哇，什么都不用。

失眠一宿还得坚持上班，脸上会出现这种怪异的表情。

我的失眠很大程度上是让自己惯的。我不厌其烦地告诉所有人我就是失眠者，大家千百次地重复让我坚信自己睡不着，躺下就能睡着就不是我了。

所以，我的老朋友一见我，问候语总是，最近睡得怎么样?

失眠的人是挂相的，面上多有愁苦，眉头多半不能舒展，脱发，情绪大起大落。

失眠的人心眼小，不太好接触。

失眠的人有时表现出双重人格，当着人春风扑面，独自时形影相吊。

失眠的人属于社会上那种渴望关怀的弱势群体，共同特征是爱往高处找补。比如爱说好多伟人就睡不着觉。其实，伟人睡不着觉也挺难受。毛主席就因为别人搅了他的觉大发雷霆，一点风度没有。

失眠的人不知为什么爱撒同一种谎，即睡不着的时候，脑子里并没想什么或者说心里没想什么事。

其实，睡不着的时候就是一脑子事。干脆说，就是因为有一脑子事才睡不踏实的。问题的症结在于，事不算大，因为睡不着，把事想大了。

每周三早晨开例会，起晚就会迟到。每周二晚上惦记着这件事就会难以入睡。到了白天，一想，有什么了不起的，老子不开例会又能怎么样?这样想着，心情豁然开朗，但并不耽误下周二晚上还睡不着觉。

那天白天，见到台长。台长说，有这么件事，我想问问你。忽然有人高喊台长，远远见到红发碧眼的老外参观团到了，台长说以后再说吧，拽了一把领带迎了上去。到了晚上，我生出100个问题，台长要和我谈什么呢，谈工作?谈生活?哪句话传到台长耳朵里了?哪件事让台长察觉了?最近台里正在搞人事调配，你说台长要让我当广告部主任我干不干?干吧，算不过来账，不干吧，机不可失。最后一想，管他三七二十一，先睡个好觉再说。这才进入了睡觉的程序，今天用哪套?数羊吧。数到10,000只就能睡着：1、2、3、4、5……549……550……8006、8007……9991、9992，唉，你说台长要和我谈什么呢?

每个睡不着觉的人除了吃药，都掌握一堆民间偏方。数羊，想莲花，深呼吸，憋气，摸耳朵，看竖排版的书等等。到了吃药都睡不着的时候，这些偏方一概无用。

有一次在节目中，白岩松顺口说了他和我都失眠，结果很多热心的朋友为我们的觉献计献策。

一位原籍河南的朋友说，他小时候睡不着觉，他的奶奶总在山上采一种绿色草本植物给他吃，吃完就呼呼大睡。植物的名字他叫不上来，但如果需要，他愿意带我回家乡去采。

一个可爱的兰州小姑娘说，她有一段睡不着，妈妈把1个苹果和5个果冻放在冰箱里，睡觉前就拿给她吃，这一夜就睡得格外香。

一些神医话不多，一捆捆干草打进包裹寄给我，托人

去九寨沟旅游时留影，朋友们说，选个你最喜欢的姿势吧。我选了睡觉。

捎话说，吃完再寄。

这么多素不相识的人关心着我，感动得我心潮澎湃，晚上更睡不着了。延边的金虎说能治我的失眠，我兴冲冲赶去，发现中了圈套。他给我安排了 72 小时的活动日程，根本没安排睡觉。我跟他解释道，睡不着不意味着不困。失眠的意思是说，困的已经不辨东西了，但就是睡不着。我以前单位的党办主任就常年失眠，最严重时 3 天 3 夜不能入睡。我见她时,她满眼皆是血丝,她说,我都快疯了。

睡不着也不意味着总睡不着，不然的话，世界上会有一大批困死的人。在这里，失眠的意思是该睡的时候睡不着，不该睡的时候会即兴发挥。我理发的时候特困，如果我失眠时有人给我理发，会很快进入梦乡。我去音乐厅听室内乐时特困，说出来没人信，我也是早年间考过音乐学校的人，但乐曲一响，我的眼皮就打架。有时候困极了，真想买张交响乐的票去好好睡一觉。想来想去，又觉得丢不起这人，只好接着困。

我坐车的时候发挥尤其好。多破的车，多颠的路，也不妨碍我蹉曲着进入梦乡。有一年去丝绸之路采访，在车上睡得香喷喷的。同行的傅成励说，这小子老在办公室说自己失眠，谁信呢。颠簸了数个小时，到了嘉峪关的高级宾馆，为了延续来之不易的睡意，我牙不刷，脚不洗，直挺挺地进了被窝。席梦思真舒服啊，我不过伸个懒腰，一下子睡意全无。

傅成励一进屋，就嚷嚷着说我以前的失眠是旷工的托辞，我正一肚子冤屈不知往那撒，干脆薅住他，坐谈了一夜的广播改革。

第二天，摇荡的车上又添了一个姓傅的嗜睡者，报社的人换了眼神，意思说，电台的人都好通宵打麻将。

我睡得比较好的线路还有，云南的思茅到版纳，小街到打洛，新疆的喀什到叶城，107 国道北京到深圳以及黑龙江大兴安岭漠河到阿木尔。

听说我爱在车上睡觉，有人打趣道，和林副主席一样，富贵病。后来做过一个梦，在 212 的后排，我和林彪并排睡着，车一颠一颠的，我俩身体总在空中相撞。

后来，林彪发怒了，拿出高干的派头，厉声让我滚下去。

我因为几天没睡好，脾气也不小，叉着腰和他对练，训斥他老实点，没什么了不起，多行不义必自毙，纸里包不住火，折戟沉沙铁未消……

最后这句话触动了他敏感的神经，他拔出了枪，我没敢耽搁，赶紧醒了。

看着阴沉的夜空，我哭笑不得，好不容易睡着一回，还让个睡觉的梦弄醒了。

望窗外，月明星稀，长夜无边。

哎，你说台长要和我谈什么呢?

一地鸡毛

2001年2月20日，我等来了迟到的判决。

谁偷窃我的钱囊，不过偷窃到一些废物……可是谁偷走了我的名誉，那么他虽不因此而富足，我却因为失去它而成为赤贫了。

——〈英〉莎士比亚

2001年2月20日，我38岁的生日。

这一天，北京基层的朝阳法院宣判，被告北京华麟企业(集团)有限公司侵犯了原告崔永元的肖像权和名誉权，应该承担民事责任。

朋友说，38岁的生日收到这样的礼物，高兴吗?

我说，你喜欢过期变质的礼物吗?

记者问，你怎么评价这场官司?

我说，脏兮兮的。

1996年6月23日，我们制作的《实话实说·该不该减肥》正点播出，应该说，这是一次有实质意义的争论。

支持减肥的人说，过度肥胖会给人的身体和精神带来负担。

反对减肥的人说，胖和瘦从来都是审美与时尚之争，今天讲究瘦，明天可能就流行胖。

张越的话显得更直率，谁要是红嘴白牙告诉你减肥药可以减肥，那就是胡说八道。她和许多朋友一样，受过减肥药厂家的欺骗，也受过盲目减肥之苦。

当然这不是唯一的观点，也有人站出来手拿减肥前后身形对比的照片，声称尝到了减肥的好处。

从节目运作角度来讲，这次节目运作是规范的，观众和嘉宾都是自愿报名和有针对性邀请的，没人在现场借机推销药品和宣扬厂家。从节目播出效果来看，这次节目也是公平的，支持和反对减肥的声音都在节目里得以平等地表达。

这只是《实话实说》的一个平常的节目。

大概到了年底，我接到了一个新疆观众的电话，说看到了我在电视里为"美福乐"减肥药做广告，这是我第一次听说"美福乐"。我没太在意，大概是这位观众看花了眼。

进入九七年，事情变得复杂起来。热线电话里的询问变成了质问，很多服用"美福乐"无用或有副作用的观众压抑不住自己的气愤，纷纷质问我，为什么骗人?当然，这里面不乏下岗工人和靠退休金维持生计的老人，他们的钱来之不易，他们的火气相对就大些，说话也就难听一些。

接下去，我被类似的信息包围了，我在哈尔滨、沈阳、枣庄工作的同学寄来了他们录下的电视广告和印刷品，铁证如山，我有口难辩。哥哥出差去南昌，有人往他手里塞了这样的广告，嫂子在北京的商场也拿到了这样的印刷品。观众来信越来越多，说法也越来越难听。

长夜难眠，我陷入长时间的苦恼，打官司自古就不是件容易的事，不能不事先考虑它的毒副作用。小报近来尤其喜欢搬弄是非，信口开河，我从内心不愿让自己成为一个热点人物，被炒来炒去，炒完的结果，肯定是既伤自己，又伤节目。

我去求助台里的律师。

台里的律师在第一时间和对方的律师沟通。

回答是冷冰冰的，毫无人情味可言，第一，给3万块钱，广告照做，第二，打官司不怕，法院平趟。

这种蛮横无理激起了我一个小民的愤慨，尽管在这之前，很多人给我递话讲了对方企业的财大气粗，讲明对方律师事务所的背景，无非就是有钱好办事和以前是法院的法官，现在出来做律师等等，请我注意这种特殊的背景。

我脑海里忽然闪出多年以前的一个场面，一群小流氓一直在欺负我们，小流氓们下手狠，我们总是躲让、回避。那天在我们辛辛苦苦泼好的冰场上，小流氓们又来了，二话不说，夺冰车，抢冰刀。小伙伴们忍气吞声，一个个憋红了脸。我不知道那天哪来的勇气，忽然间振臂一呼，像烈火点燃干柴，小伙伴们像下山猛虎，打得小流氓们屁滚尿流，居然还是以少胜多。

我在毛泽东选集里找到了答案，这叫正义战胜邪恶。

这场官司也是非打不可了，真的是逼上梁山。

任勇律师刚从美国回来，雄心勃勃。

听完我对事实的叙述，他一个劲点头，这太简单了。听他的意思，好像这官司没得打。我想这场官司的经历让任律师终生难忘，他一定会明白，什么叫地方特色。

先是他和张培信律师四处去收集证据，不查不知道，侵权的范围和程度比我们想象要厉害得多。

“美福乐”盗用我的肖像和名誉已经在全国 90 多家电视台播出了近万次的非法广告。

我们不妨先熟悉一下相关法律，也算借出书之机，为普法尽一点绵帛之力。

中华人民共和国《民法通则》第 100 条规定：“公民享有肖像权，未经本人同意，不得以营利为目的使用公民的肖像。”

最高人民法院关于贯彻执行《中华人民共和国〈民法通则〉若干问题的意见》第139条“以营利为目的，未经公民同意利用其肖像做广告、商标、装饰橱窗等，应当认定为侵犯公民肖像权的行为。”

最高人民法院在《关于审理名誉权案件中的若干问题的解答》第7条规定：“是否构成侵害名誉权的责任，应当根据受害人确有名誉被损害的事实，行为人行为违法，违法行为与损害后果之间有因果关系，行为人主观上有过错来认定。”

中华人民共和国《民法通则》第120条规定：“公民的姓名权、肖像权、名誉权、荣誉权受到侵害时，有权要求停止侵害、恢复名誉、消除影响赔礼道歉，并可以要求赔偿损失。”

最高人民法院《关于贯彻执行〈中华人民共和国民法通则〉若干问题的意见》第150条规定：“公民的姓名权、名称权、肖像权、荣誉权和法人的名称权、名誉权、荣誉权受到侵害，公民或法人要求赔偿损失的，人民法院可以根据侵权人的过错程度、侵权行为的具体情节、后果和影响确定其赔偿责任。”

法官知道这几条，依法判决就有了根据。

律师知道这几条，对胜诉充满信心。

1999年4月29日，任勇律师把起诉书递到了北京朝阳法院。他无论如何没想到，他将和我一起度过22个月的熬煎。

我要打官司的消息见报了。

有的小报摆出了恶炒的架式，题目就叫“崔永元开出天价”。

天价，意味着漫天要价。

在华麟集团盗用我肖像和名誉为他们的“美福乐”滥作广告的几年中，他们的效益远远超过了其它减肥药厂家。仅举山西一地市场为例，使用我肖像后，减肥药销量是这之前的 3 倍。每年年底，华麟集团都喜滋滋地在报上公布他们的销售业绩，一亿元以上，这当中当然包括他们侵权后获取的暴利。

很快，华麟集团做出了反应，他们一边加紧和我联系，找了很多和我熟悉的朋友做工作，一边派出中间人抛出和解的价码，还有一些人负责向我介绍对方律师事务所的情况。

其实，和解未必不是件好事，中国的传统文化精神历来不主张诉讼，“息讼”是许多朝代推崇的民风建设目标。但是，和解重要的前提是当事双方适当出让自己的利益，而不是一方压服一方。

华麟集团在北京召开了新闻说明会，表明他们的观点。

在这个会上，他们抛出了一系列精心策划的观点。

肖像用于“新闻专题片”，而不是广告片。

1999 年 12 月 7 日。我在珠海听到了官司第一次开庭的消息。

我们用崔永元肖像时，他还不是名人。

刘淑卿以党员的名义保证，自己确实受益于“美福乐”。

只用了一段时间，中央台一提醒，就停止了。这一点颇让他们尴尬，因为就在他们狡辩时，非法广告还在各地播出。

同时，华麟集团的律师提出管辖权异议，认为集团生产和经营集中在宣武区，而不是在朝阳区。

但可笑的是，对方律师手中拿着华麟开具的信函去办手续，上面清楚地注明，自己公司的办公地点就在朝阳区华严北里，楼的名称就是华麟红楼。

那天，任勇从法院回来，说到这一幕，忍不住直笑。

我却笑不出来，凭我的直觉，一场闹剧就要开演了。

准确地说，任勇应该是个不错的律师，接手过多起跨国的官司，对适用法律也了如指掌。接手了我的官司，第一次谈话时我就说，我的工作很忙，可能顾不了官司过程中太具体的事务。我的话还未讲完，他的手已经在空中摆了起来。四川人任勇，个子矮矮的，透着精明，他说，不用。

管辖权异议还没出结果时，沮丧写在了任勇的脸上。

他说，他们在拖。

管辖权异议有了结果，我们胜了。然而，开庭却遥遥无期。这时，夏天火热着来了，内行人都知道，这将是减肥药热销的又一个旺季，不开庭，没有结果，就意味着侵权行为的进一步扩大。

任勇疯了一样给朝阳法院打电话，对方每次回答都变个花样，有人出差在外，有人调动，最近案子比较多，正在进行“三讲”……

华麟集团在郊外开了新闻通气会，许多报社的老总和广告部主任如约而至，在这以后，再没人登这场官司的事，只是一门心思发广告。

任勇有一天喝醉了酒找我，眼睛红红的，他说，为什么你们媒介都不公正，我说，法院都这样，还说什么媒介。

看着任勇，我真有些心痛，他从美国回来，在中国办一件自己认为简简单单的诉讼，我想让他知道什么，中国的法制不健全？

其实，我真没有害他的念头，在这之前我做了十多年的记者，采访过大大小小数十起官司，可实在没想到，真的成了当事人，那感觉和旁观者毫无相同之处。

我觉得任勇像个异地的武松，喝了3碗酒，提着哨棒，趺趺撞撞奔向景阳岗，本想寻着老虎表现出异域练就的身手，没想到，一个跟头接着一个跟头，低头看去，都是自己人设下的套，不免暗自伤心起来。

熬过了“美福乐”又一个销售旺季，朝阳法院那边有了动静，寒冷的1999年12月7日，官司第一次开庭了。

这时候，离我们4月29日递交诉状的时间，已经过去了7个月。

这一天，我接受台里的任务，去珠海，在海上的一条船的甲板上，录制迎接澳门回归的节目《澳胞相会》。

船太小，随着海浪不停地摇摆。

我忽然悟到了什么，老百姓有时会生出些幻想，觉得一个电视节目主持人是一个名人，而一个名人是可以呼风唤雨的，风吹不到，浪打不着，总在江湖上笑傲着。实际上，电视主持之名，不过是套在头顶的一个虚假的光环，他甚至不能维护你正常的权益。

就说我吧，要对自己的每一次出镜负责，一旦你在节目中的观点或表现不尽如人意，还要承受无数个电话，无数封来信的探讨、追究，甚至指责和谩骂。

写书吧，要防盗版。

逛大街，要注意公众形象。

找你签名和拍照是看得起你，稍不随心就有人说，瞅你那操性!

领导说，明天把你轰出东门，你屁也不是。

我是个性情中人，我妈说，这孩子犯起混来天不怕地不怕。

我对所有骂我的来信采取有则改之，无则加勉的态度，用“骂你是因为关心你”来给自己宽心。

有一次是个例外，清华大学的一位先生在电子信件上骂我是日本人的三孙子。原因是我采访东史郎时过于友善。

他可能没想到，我的家乡在冀中平原，我想起我在日本碰到同学朱弘时，他说，都骂我是汉奸，可我的家在大屠杀过的南京呀!

我一刻也没犹豫，抓起电话打到清华，我对那个骂我的人说，除非你向我道歉，否则我会用自己的方式来完结这件事。

结果，他道歉了。

我时刻注意着自己的公众形象，不去公共场合乱混，谢绝了所有的商业活动，甚至在打官司之前就声明，一切所得要捐给社会公益事业。就是这样，仍然有人不理解，一个沙哑的说自己是下岗女工的声音说，你他妈凭什么要那么多钱，疯了!我们一个月才他妈几百块钱。我端着电话，不知道对她说什么好，只好安慰自己说，把账记在那些唯恐天下不乱的小报身上吧，他们的煽动起作用了。

我在珠海海面的风浪中悟出，别管说得多热闹，我还是一介草民，是沧海一粟，是汪洋里的一条船。

到了晚上，任勇来电话说，对不起，特别不理想，法官不让我们把话说完，不让我们出示证据，可我们，确实已经尽力了。

我能说什么呢?

我只能说，没关系。

这以后，我明显地感到任勇律师有些回避，有些退缩。

这也不怪他，第一次开庭后，官司又没了消息，如石沉大海，任勇仍然一次次问，回答还是那些托辞，调动、太忙、学习……

任勇感觉乏力，准确地说是有劲使不上。

那一段是我压力最大的时候。半夜醒来，脑子里就两个字，官司。

这是老崔家祖祖辈辈打的第一场官司。有时候，我也怀疑，父亲也是性情刚烈之人，我亲眼见他发怒之时，砸碎所有可触及的玻璃。那么，面对诸多的不公允，他是怎样走过来的。

在离休之前，他官至师副政委，也是个一呼百应的角色。

离休到了休干所，没有领章和帽徽，穿着我们兄弟给他凑的民用便装，他的外形已经是最底层的老百姓了，可心还不是。一个小兵在卖大白菜时对他出言不逊，令他愤怒不止。我赶到现场时，年近70、一头白发的父亲像头狮子在咆哮。他有咽炎，嗓子已经嘶哑，凑起来的平民的衣服在他身上很不合身，一瞬间，我觉得父亲衰老了，他不是官的时候，尊严也跟着一起衰老，只能默默体会着虎落平阳的悲哀。

幸好，他还有3个年轻力壮的儿子。

你敢说，农民的想法一点道理没有?

我一个箭步跨上去，指着小兵说，他为革命出生入死、扛枪打仗的时候，还没你呢!瞅着他不以为意的样子，我又加了一句，你不老实，我叫我哥揍你，你信不信?

晚上回家，老爸坐在床边，一口口喘着粗气，屋里没有开灯。我觉得黑暗中的老爸特别可怜，我也知道他伤心在何处，那是因为他豁出性命、淌着鲜血换来的尊重和自信一下子坍塌了。

要恢复他的自信，一定要让他找到在民间的位置。我们收起他的军装，给他买来时尚的合体的衣服，改善他的饮食，带他出去旅游。

尤其是我在电视上成了熟脸，更让他自信心大增。出去的时候，人家再不说这是××师原副政委，而是说，这是崔永元的父亲。

我打官司的时候，父亲正在度过他离开部队的第十八个年头。此时的父亲，慈祥、平和，早已除却了来自行武的刚烈。

他对我说，能忍就忍吧。

这时，我早已没了退路。我还生出些封建思路，退了，就会有辱家门。豁出去吧，虽然我知道我现在面对的不只是一个厂家，而是一派势力。

官司还被拖着，转眼间，2000年的夏天到了，这意味着减肥药又一次迎来销售的旺季，根据我们从上一年得出的经验，朝阳法院不会在这个季节开庭的。看着任勇一脸愁容，我提出建议，再请一位律师壮大我们的队伍。

任勇显然对这个提议有兴趣，他问，请谁?

我说，请岳成。

在此之前，我见过几次岳成，我最欣赏他一句话，我就是个农民。

农民的缺点和优点都是显而易见的。

岳成则更多地发挥了农民的优点。一见面他就说，这官司，我免费给你打。

听我诉说心中之苦，他笑了。苦，谁不苦，老百姓不苦，对，你是老百姓，可要按苦来划分，你就不算老百姓，不愁吃和穿，坐着小车转。

挡住我的话锋，他说起自己。

八十年代开始当律师，20 年办了 1000 多件案子，他说自己有 3 个飞跃，七六年进县城，八六年进省城，九六年进京城。

他说，想成功，就得诚实、正直，富有同情心，这个侵权的企业不地道。

他跑题了，他说律师挣人家钱是“乘人之危”，不摊事谁来找你，所以得拍着良心给人家服务。

他同意我的观点，任勇尽力了，任勇不容易。

他站起身笑着说，别怕拖，拖过初一拖不过十五，总有一天会还你清白，走，咱们吃蘑菇去。

2000 年的冬天到了，12 月 7 日，朝阳法院再一次开庭，还是一审，去年的今日成了彩排。开庭前，各种消息通过各种渠道传到我们的耳朵里，我一再叮嘱岳成要有心

自称农民出身的律师岳成。最大特点是不信邪。

理准备。开庭的前一天，我心里不踏实，电话打过去，岳成正在刮胡子。他乐呵呵地说，要拾掇一下，律师出庭得注意形象。

第二天，他径直走到朝阳法院院长面前，听说要判我们输?

院长说，那你还来干啥?

他说，我想看看我们是怎么输的。

《经济半小时》的记者陈大会问我，这场官司中的很多事是不是你不想说。

我说，是的，也许一辈子都说不了。

我用这场官司，亲身体验了一把中国司法的现状，依法治国仍然任重道远。我听到看到了那么多不合谐的声音和场面，我深信，法制不健全，更多的人会晕头涨脑地成了牺牲品。

我负责任地告诉大家，现在阶段，打官司一定要计算成本，一定要瞻前顾后，不能一口气咽不下就莽撞行事，否则最后的结果很可能是人财两空。

我提醒大家，和有钱的企业打官司更要三思而后行，因为你很快就知道，面对的不是一个企业，而是一个利益集团。

到 2001 年 2 月 20 日，官司在被拖了 22 个月以后，终于有了一审判决。

被告华麟集团侵害了我的肖像权、名誉权，赔付 10 万元。

被告要在中央电视台道歉 7 次。

被告非常划算地侵了我的权。

从搜集证据开始，我们用了 3 年的时间打这场官司，人困马乏，得来了这纸不公正的判决。

说它不公正，是因为它是迟来的判决，被告巧妙地躲开了两个销售旺季，而朝阳法院没有效率，因而也就不显示公平。

说它不公平，是因为它没有惩戒侵权者，侵权的巨额所得和区区 10 万元赔付不成比例，侵权者求之不得。现在，又有 5 个不法企业已经效仿起来。

说它不公平，是因为它置法律规定于不顾，判决书上说，“被告因侵权广告所获利润问题，应由有关部门处理”。

实际上，最高法院的司法解释说得很清楚，这个有关部门就是法院自己。

说它不公平，是因为它还有很多不公平，懒得说了。

我把 10 万元钱捐给了延吉的失学儿童。

至于那 7 声道歉，听不听无妨。

这种被强制的不是发自内心的歉意，不过是逢场做戏而已。

这时，许多看热闹的人又觉得戏份不够了，他们鼓动我上诉，将诉讼进行到底，当年的“开天价”也是出自他们之口。

我说，不想打了。

他们焦急地问，为什么?

我说，人的一生有几个 3 年啊!

附：

崔永元为什么感到“不方便”

老猜

崔永元名誉权案已经判决生效，但是充满戏剧性的一幕并没有如期出现：被告迄今为止还没有在中央电视台黄金时间向崔永元道歉。实际上，当判决结果公之于报端的时候，许多人士已经看出了端倪：让被告在中央电视台黄金时间道歉，从法理上看并无不当，但从现实角度看，实际上却无法执行，这就导致了一个困境，到底该如何维护当事人崔永元的利益？又怎样才能维护法律的尊严和判决的权威性？

从整个案件的进展和崔永元本人的言谈看，崔永元有着浓厚的书生意气。本来可以私了，却决心把官司打到底，一定要找到一个明确的“说法”，一定要侵权者对他道歉，虽然也要求了巨额的赔偿金，却在判决之前就公开宣称要捐给希望工程，这样的行为方式实际上已经不仅仅是在维护个人权益，而是在寻求人格的尊严，在普通人看来，这多少带有一些理想主义的色彩。名人打名誉权官司，在中国一向有些不方便。前些时候，一桩名人名誉权官司打得被告意图自尽，一时间就颇多非议。但崔永元案似乎有些不同，侵权事实明确，证据也很充分，那么崔永元为什么仍然感到“不方便”呢？

从法律判决看，崔永元的确受到了精神损害，他理所应当获得赔偿，但崔永元显然没有勇气去拿这份理所应当属于他的赔偿金，因为他是名人，公众对名人的要求从来就很严格。早在案件尚未审理时，崔永元就接到了一个普通妇女的质问电话，“你凭什么要那么多钱?”在民事纠纷中，索取赔偿金的数额完全是一个法律问题，其中很少有什么道德因素，但如果事件涉及到名人，马上就不同了，赔偿金的数额、用途立即成为严重关注的对象，稍有“出格”，即遭非议。正因如此，崔永元选择了以前“通用”的做法，把赔偿金捐给公益事业，可以想象，如果他把这份赔偿金坦然纳入荷包，他很可能遭到更多妇女的指责。我们可以试着提出一个问题：对一个人既合法又合理的行为提出批评，这是不是也存在着某种程度的不公平呢?名人也是人，名人在遭遇侵害时一样会有痛苦，有精神苦恼，一样会失眠、会影响工作，为什么名人就不应该得到经济补偿呢?也许，崔永元把赔偿金捐给希望工程的确出于自愿和自觉(他要捐自传的版税也旁证了这一点)，但他用不着在判决之前就表态，他的表态本身就意味着他感受到了“不方便”。

据报道，判决结果出来之后，崔永元苦笑着说：没想到赔偿金这么少。崔永元说这句话，显然不是贪财，而是感到自己的精神有点“贬值”。被告通过非法使用崔永元的肖像获利巨大，对崔永元这样的公众人物的精神损害也极为严重，却只需要付出区区 10 万元，实在是“合算”得很，这样的收支账谁都会算，如果在旁人看来，这样的“投入”和“产出”是合算的，那么套用一个词汇，这就叫非法侵害的“机会成本”很低，以此可以推断出法庭判决没有起到惩诫的作用，不能防范将可能出现的侵权和精神损害行为。

既然赔偿数额与诉讼标的比起来明显偏低，为什么崔永元不提出申诉呢?原因很简单，因为他是名人，为了钱多钱少而“将官司进行到底”很不方便，公众会以为他动机不纯——不是在维护精神尊严，而是贪图钱财。崔永元显然不愿意他的意图被误解。正是基于这样的考虑，崔永元的律师也劝告说，既然不是为了钱，还是不要申诉了。

很显然，这里面存在着一个公共的误解，即精神是精神，钱是钱。其实，在市场经济时代里，精神的价值是可以用钱来衡量，最近出台的关于精神损害赔偿的司法解释就表明了一个基本态度，即对精神的损害应该通过经济赔偿予以弥补，这就确认了精神的经济价值。既然如此，崔永元要捍卫自己的人格尊严，就应该穷追不舍，他对赔偿数额的要求就是他对自己精神价值确认的表现，遗憾的是，作为公众人物，崔永元“不方便”，他也赔不起那么多的时间和精力，所以他放弃了申诉。

事情并没有到此为止。尽管法庭判决被告在中央电视台第一套黄金时间连续7天向崔永元道歉，崔永元本人也对传媒表示，他等待着这一声道歉，但事实上崔永元本人可能永远也听不到道歉的声音，个中原因还是“不方便”。中央电视台有关人士表示，“从来没有过为个人播出道歉的先例，这个道歉很难执行”，这实际上宣告了法庭判决的不可执行性，并且把法庭和当事人都置于一个尴尬的境地。中央电视台的态度本身无可指责，它有权力决定自己应该播出什么、不播出什么，别人无权干涉，而且从中国的文化氛围看，让中央电视台在黄金频道、黄金时间播出针对该台工作人员的道歉广告，这本身也很不方便。对于这一尴尬境地，崔永元本人提出一个执行建议，即把道歉广告折合成一定的广告费，捐给希望工程，如果就事论事，这一提议是高尚的，但如果从法律角度加以思考，却让人感到多少有些啼笑皆非。在中央电视台播出道歉广告的目的，乃是为了让被告以同等方式、在同等范围“消除影响”，如果崔永元认为这个“消除影响”可以折合成钱，进而捐给希望工程，是不是意味着他并不在乎恶劣影响的存在?显然不是，这只能说明崔永元做出的是“无奈的告白”。很难想象，法庭判决最后会以什么“方便”的形式得以执行，无论结果是什么，都将意味深长。

崔永元在名誉权官司中遭遇不方便，一方面是由他的名人身份导致的，另一方面则暴露出我们的精神损害赔偿官司的种种“不方便”，如果我们今天在旁观崔永元的不方便时一声不响，将来某一天也许自己就会遇到不方便。

（《北京青年报》2001年3月19日）

闲话闲说小人书

在旧货市场淘小人书，眼镜必不可少。因为卖主认出我就会涨价，他们爱说，你们文艺界挣钱那么多，留着干吗？

王弘力　画

“不积跬步，无以至千里；
不积小流，无以成江海。”

——荀子《劝学篇》

一个人出点名，再爱上收藏，挺矫情的。

但我不能不告诉你，我爱小人书。我的理直气壮是因为我无可奈何，谁让我的精神世界是小人书构建的。

在那个物质和精神同样匮乏的年代，小人书像一盏油灯以微弱之光驱散眼前的黑暗。

小人书带我们遨游远古，触摸历史。有趣的是，孔孟之道进入我们的视野都是从画页上丧魂落魄的孔老二开始的。

小人书还告诉我们，秦始皇是个暴君，宋江靠的是小恩小惠，曹操是奸臣。

看着《小英雄雨来》、《鸡毛信》、《小马倌》总是恨自己生不逢时。我焦急地对父亲说，蒋介石什么时候打回来呀，也让我们过把枪瘾。

在孩子们的眼中，小人书里的战争少了几分惨烈和残酷，取而代之的是几分俏皮，几分浪漫。

小人书造就了这么一代人：他们揣着支离破碎的知识，憧憬着灿烂辉煌的未来，装着化解不开的英雄情结，朝着一个大致确定的方向，上路了。

卢禺光　画

长沙西汉马王堆出土了我国最早的连环画。

等轮到我看上连环画时，已经是二十世纪七十年代了。

一看就是30年。

其间，画画扔下了，音乐扔下了，英语扔下了，很长一段时间我的精神领地让连环画一枝独秀。

说它是精神食粮毫不夸张。

“他们的青春岁月曾以连环画为启蒙，以连环画为慰籍。重览这些当年的画页，昨日重现的冲击将催醒沉睡的记忆，当年的滋味也许就在怀旧的气氛中被带进阳光灿烂的日子温暖人心。通过这些，儿时的伙伴、冒险的经历、神奇的幻想和青春期的冲动会重新降临我们的心灵。”

“记忆之美的醉人芬芳大概莫过于此吧。”

这是连友宋强、马安、李明的说法。

这是极准确的一种说法。

还有件怪事，不管你声望多高，官至几品，捧起连环画统称“连友”。

这是一个最平等的部落。

徐恒瑜　画

前两页的字句中，既有“小人书”又有“连环画”。

这不奇怪，就像一个人既有大名又有小名。

连环画亦有多种分法。

我更钟情的是电影连环画。这大概是痴迷于电影的缘故，我竟然可以把电影连环画的画面看得动起来，脑畔还响着片中人物富于韵味的台词。

“各庄的地道都有很多高招儿，还是先看看你们的吧!”

“我们八连从没打过败仗，丢过阵地，七连交过来的阵地决不能从我们八连手上丢掉。”

“摆弄苹果一定要仔细，要象摆弄鸡蛋那样才行。”

那时候，看电影是件奢侈的事情，只有部队大院可以看到免费的露天电影。在风中，在雨中，在雪中，我们凝视银幕上演绎的一幕幕悲欢离合，而忘却了人间的冷暖。

再捧起由电影画面翻拍的连环画时，顿时领悟了回味与想象的魅力。英雄们定格在纸上，依然可以塑造我们的灵魂。

罗希贤　画

待到翻起那些手绘的小人书时，感叹和敬佩一同生出。那些栩栩如生的人物是怎么进入画家脑海的。

等到明白了，竟然无言以对。原来天大的画家，用得还是些笨办法。

“刘继卣作画，有一股‘痴’劲，有时竟闹出不少笑话来。

1953 年刘继卣结婚不久，有一回在街上见一老人形象很好，就对着他画起来，围了不少观众，甚至造成交通堵塞，他却一点也未发觉。”

“你如果在路上碰到刘继卣，只要向他打个招呼，就会吓他一大跳，因为他只想着画当中那些东西，根本就没有看见你。”

“在家中吃饭，摆上满桌子的美味佳肴，他都看不见，一边捉摸画中的艺术境界，一边下意识地只吃着眼皮底下的那一碟子菜。”

“他带孩子逛动物园，对着老虎画了起来，画着画着就入了迷，结果竟把孩子丢了。”

孟庆江先生的这几段描述，让我们看到了一个大智若愚的画家。看似简单的一幅幅线描，倾注着画家毕生的心血，这就难怪人们透过小人书可以感受到画家高尚的人格力量。

贺友直　画

如果“连友”们当中有暗号，其中一则肯定是：山乡！巨变！

贺友直先生的4册《山乡巨变》已经成了“连友”争相收藏的宝物。

我曾经开玩笑说，如果哪个山乡有100套《山乡巨变》，那这个山乡马上就能巨变。

而《山乡巨变》的的确确描绘了清溪乡——一个中国式标准村庄的巨变。

《山乡巨变》还告诉我们爱情无所不在，因为错综复杂的斗争并没耽误刘雨生与盛佳秀的爱情。

《山乡巨变》还启发同行，可以从传统线描和明清版画中汲取营养。

《山乡巨变》还告诫我们，艺术需要对真实生活的体验，为了这 4 本小人书，贺先生 3 次深入农村。全身心地投入才使我们从他的笔下领会到乡野之趣。

在我出生的 1963 年，第一届全国连环画创作评奖，而第二届评奖的 1981 年，正是我完成启蒙步入大学校园的时候。

我的精神家园的建立竟然如此准确地与小人书暗合着。

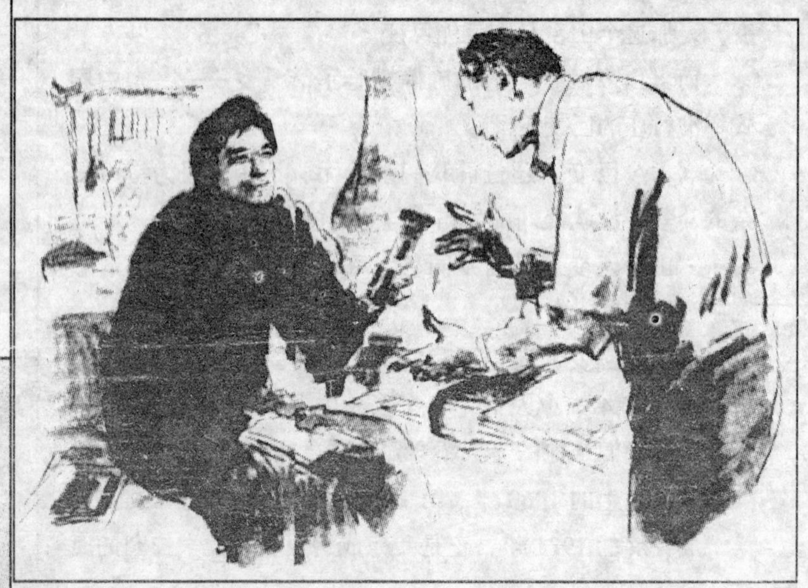
颜梅华　画

其实和颜梅华先生我只是在画上拜见过。

见过真人的只有王弘力、戴敦邦、顾炳鑫等几位老先生。

汪观清　画

2001年冬天的哈尔滨，冷得不寻常。

我在连环画节上一眼看到了顾炳鑫先生，我脑海中瞬间浮现出一个人物：捷尔任斯基。

那是他笔下众多人物中的一个，顾先生和捷尔任斯基如此相象，也是精瘦，也是干练，也是铁骨铮铮。

动人的神韵透过他们的笔溶入了纸上那一个个鲜活人物的形象里，使得你和他们初次相见就会觉得曾经相识。

顾先生握着笔，低头为热情的“连友”签名，冷静的神态让你察觉不出他走过多少不平静的日子。

我和“连友”们一起暗自庆幸，老先生们重返画坛，又将迎来连环画复苏的第二个春天。

没有多久，从上海传来了顾先生病重的消息，我们还未从惊诧中缓过神来，又传来顾先生离去的噩耗……

连环画贵在连环，少了一位大师，我们的小人书世界如何连贯。

韩敏　杨宏富　画

有时候，你盯着小人书上的王侯将相和风姿绰约的古代美女，不禁感叹画家们的想象力是如何了得。

见到王弘力老先生，我径直提出这个问题。

王老笑了，他说，是有个仓库的。

1955年他在辽宁义县奉国寺前看见两个老者下棋，他悄悄画了下来，也就是说，两个形象入了库。

不久，他在同一县城小饭铺中看到的一个小贩成了他笔下《十五贯》的尤葫芦。

而《十五贯》中另一位人物况钟则是王老认识的一位学校老师，给长上了胡子。

现在，我已经进了他的仓库，前途未卜。

当然，成为大师，仅仅有个仓库还是不够的。还要有勤奋还要有刻苦，还要能忍辱负重，还要能宠辱不惊。这一切，王老全有。

外语，老人家就会 6 门，全是自学的。

现在，你就是外行，也可以感受到小人书的厚重。

高云　画

现在，你随我进入小人书世界吧，咱们边走边说。

你可以收藏，也可以以卖养藏，当然，你只想当贩子就另当别论了。

然后，你要结识一批“连友”，认识他们，你就会重新认识小人书，我来介绍几位吧。

张成德，公开身份是《中国质量万里行》记者，实际上是小人书贩子的死敌。

他爱小人书，恨有些人把小人书当赚钱手段，恨他们囤积居奇、哄抬书价。我和他逛过几个小人书市场，几个贩子见到他牙根咬得咯咯作响。

他正在干两件事，收集小人书画家们的国画作品，以此来证明，小人书画家都是大画家，都有真功夫。

二是采访这些画家，写写他们传奇的经历，出一本书。这两件事占了他太多的时间，说出来你可能不信，南来北去地采访画家，都是他自己掏钱。

他已经采访了四十多个画家。

如果你刚入道，教你一个辨认的招数，说起小人书眉飞色舞的就是“连友”，说起小人书价钱眉飞色舞的就是贩子。

上海有个张奇明，经营房地产开发和小人书出版。

张奇明也是从小就爱上小人书的，辛辛苦苦攒了几百册，家里着了一把火，全烧光了。重新开始攒，又烧光了。

“文革”时，他的母亲被打成反革命，张奇明身边的小伙伴一哄而散。受不得冷落的他发了毒誓，谁和他玩送谁一本小人书。哪里知道小人书可以冲破阶级的壁垒，居然有60个孩子愿意重新与他为伍。

这下惨了，张奇明凑不齐那么多书，小人们又盯得紧，逼得他到天目山藏了两天。九十年代，张奇明在深圳发了财,苦思冥想闲钱的去处,没说的,又攒起了小人书。

小人书不像佛像，买回家供着，没什么损耗。一本小人书过上几个人的手，翻上几遍，就折边卷角得不成样子。所以，去找几十年前出版的小人书，大多都青春不在，面目可憎。有的印数少，还难寻踪迹。

张奇明成立了大可堂文化公司，专门和出版社联手再版小人书精品。据说，重新创作也列入了议事日程。

在上海，我一头扎进张奇明的书房，翻看他的小人书藏品，一翻就翻到了后半夜，几个老爷们儿对视一笑，说，这不比打半宿麻将强。

第二天见面没别的，还谈小人书。张奇明约来了归琪，也是上海小人书一族中的强人。

归琪有绝活，一眼可以发现一堆书里的精品，有时连书的主人都没发现。归琪挣钱不多，付钱时却很公道，好东西就出好价钱，这让他在“连友”中口碑甚佳。

晚上，归琪席地而睡，因为小人书睡在床上。

我把这事讲给局外人听，听者头晃得像拨浪鼓，唉，说起来都是些大人，怎么不着四六的。

戴郭邦　画

单说戴敦邦先生吧。

“连友”们听说戴敦邦的大名，都会精神一振。

虽说戴先生竭尽谦虚之能事，公开宣称自己无学历，自号民间艺人，可他画的《红楼梦》、《水浒人物》、《西厢记》、《三国演义》等连环画，在“连友”们心中的位置至高无上。

他画的古人尤其好，身形中有股灵气。

这不是天分，是真功夫。这是多年临摹古代大师作品的结果。为了临摹，他钻泥洞、上吊架、爬栈道。

他像一个“可爱的信徒”。

你一定会喜欢戴先生的画，愿意称他为大师，好，我来告诉你，他只在师范学校里上过两年的学生美术课。

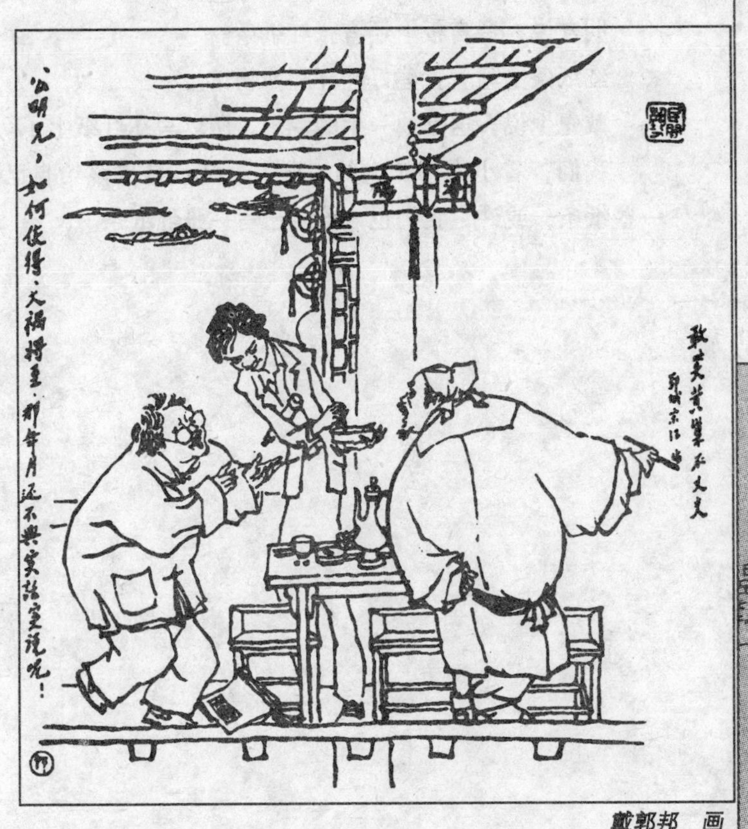

戴郭邦　画

我一次次端祥自己书稿时，总觉得不够味，没画。

于是鼓足勇气，厚着脸皮向连环画大家们求画。戴先生居然画了两张。

后来，一位朋友去戴先生家拍摄，回来后告诉我，戴先生的书房里有座木制大钟，每小时报时一次，戴先生说，要提醒自己，年事已高，抓紧时间做事。

他的书房中有块留言板，小磁铁压着一张张白纸条，提醒自己这周干什么。

朋友眼尖，一眼看到一张白条上写着：给小崔画画，两张。这让我有说不出的惭愧。

朋友说，留言板上还有张红纸条。

红纸条上写着：建好连环画博物馆。

戴先生说，这是他一生的梦想，所以写在红纸上了。

我们，看小人书长大的一群人，是不是也该给自己写一些纸条，或许，我们也该给自己写一张红纸条。

海边交流

总是希望大家在这里找到和熟人交谈的感觉

江湖是什么？江湖是人情世故，能应对就不易，更别说什么懂全了。

——阿城《江湖》

这次交流是在海边的一家电视台。

近两年，经上级批准，我忙里偷闲去了3所大学和4家电视台，任务都是一个，和大家面对面交流。

这次出书，把它收进来，一是觉得即兴、口语，想到说到，也算一种表述方式。二是为前边章节中没有写到的拾遗补缺。第三说出来不大好意思，既然是业务交流，这篇文章希望能算是我的业务论文，为今后评职称添个砝码。

非常高兴在这个海滨城市有这么一个机会和大家面对面交流。我刚才走进这个会场的时候，看见后面贴着4个大字“学术交流”，我仔细看了看，好像不是一个长期的设置，是临时贴上去的(笑)。太隆重了，有点受宠若惊了。因为我从来没有到哪儿进行过学术交流，学术这个事很庄重。

发行25万份的报纸，我干了一年剩3万份。

按照我的习惯，先介绍一下我的履历。我1981年考入北京广播学院新闻系，1985年毕业分到了中央人民广播电台的一个小报，叫《中国广播报》。我去的时候叫《广播之友》，当时发行量有25万份，还是一个很不错的报纸。我在那儿干了一年，把这个报纸干得剩3万份了(笑)。离开报纸，就到了中央人民广播电台的综合节目部，当时我们办了一个很有名的栏目叫《午间半小时》。我自认为在那儿干得非常精彩，我觉得我在广播电台的地位相当于中央电视台的赵忠祥吧(大笑)。

后来广播越来越衰落，我所在的这个单位也是人浮于事。比如，我们刚开始制作节目的时候是7个人，可以制作很优秀的节目。到后来有近20个人，节目的质量却在下降。这个时候开始出去干私活，一下子就干到中央电视台。

忽然说做主持人，没有任何心理准备

这已经是90年代初的事情了。到了1992年底的时候，中央电视台开始进行改革。改革之前的中央电视台让我感受非常深，因为那个地方人浮于事比电台还要厉害。我参加过很多剧组，剧组一建立，第一件事就是包宾馆，每人一个房间，然后吃饭。吃各种各样的饭。花钱如流水，也没有什么人心疼，也没有什么人在意。

九二年底我们开始筹办《东方时空》的时候，忽然经济开始紧张起来。大家出去采访都坐不起出租车，有的是骑自行车，有的是挤公共汽车。这个我觉得倒很像我做了十几年记者的感觉，所以对这个新节目比较钟情。当时新节目没有名字，《东方时空》是后来起的名字。当时叫《新太阳六十分》，每一个子栏目都在设想，比如《东方之子》当时叫《太阳之子》，我对这个题目非常赞赏，我说叫《太阳之子》好。如果要采访贪污犯，就叫《太阳黑子》(笑)。《生活空间》叫《太阳人家》，《时空报道》叫《太阳聚焦》。现在《东方时空》这4个字，是当时的主任孙玉胜想出来的。这个主任最大的特点就是会起名字，后来我们的节目《实话实说》，还有《焦点访谈》前面“时事追踪报道，新闻背景分析，社会热点透视，大众话题评说”，也是孙玉胜想起来的。他现在已经是中央电视台的副总编了，专门给各栏目想名字(笑)。

栏目的名字有了，接着就是怎么做了。有一天我的同学时间来找我，时间是他的真名，不是艺名，他就叫时间，他们一家子都怪怪的，他叫时间，他的父亲叫时盘棋，你说怪不怪啊?他父亲是新华社非常有名的记者，当时咱们解放重庆的时候，他父亲是随解放军第一批冲进去的，后来大家看到的“渣滓洞”大屠杀以后的照片，包括杨虎城遗体的那些照片，都是他父亲拍摄的。时间有一天忽然来找我，他说你能不能做一个节目的主持人?我说什么节目，他说《东方之子》，都是采访中国很有名的人。然后我就很含糊，因为从八七年开始我做《午间半小时》，一直到九三年的时候，都是在艰苦的基层跑。现在忽然说做一个主持人，我心里没有什么准备。

刚才李新带我进来的时候，我看到你们楼门口挂了很多播音员和主持人的大照片。每个人都很靓，基本上是按照我们中国选拔播音员和主持人的标准选出来的。当时中央电视台的主持人，大家知道除了有赵忠祥老师、倪萍大姐，还有罗京、张宏民。那个时候他们的岁数还没有这么大，非常年轻，非常英俊。我们在家里打开电视基本上都是这样的形象。这就意味着我要和他们并肩工作，这是一个很大的考验。那天回家以后，我就照镜子，因为一个人在镜子里的感觉和在电视屏幕里的感觉是差不多的，越照

我和小白一起与崇拜的偶像古广明合影。
1981年，看了古广明在足球场上的英姿，我开始喜欢足球。

越没有信心。如果有一天电视观众打开电视，忽然是崔永元出来了，他会不会觉得家里的电视坏了(笑)。但是作一个电视节目主持人，是很多年轻人的理想，我也不愿意轻易放弃这个机会。我想了想怎么办呢?忽然灵机一动想出了一招。我说可以找一个更难看的人，把他推出去。如果观众接受他，我就有希望了，我就把白岩松推荐过去了(笑)。

白岩松最大的特点是自信，他从来没有觉得自己长得不好。在那个地方一炮走红，大家一定记得白岩松红得程度有多快，没有多长时间，一个月就红了。一个月以后再见他，我想沾点光，我说白岩松，是我把你推荐进来的，你还记得吗?白岩松说是金子总会闪光的(笑)，看着白岩松大红大紫，心里有说不出的滋味。有时候觉得自己像一个伯乐，相中了这么一匹野马。有时候觉得看着这个小子的傲劲，当时还不如我自己去呢。但是这个栏目就一个主持人，已经没有什么机会了。

时间问我，你手里还有没有白岩松这样的人？

到九五年底，时间忽然灵机一动，又要办一个新节目，时间就给我打电话，你手里还有没有像白岩松这样的人？我说没有了，就剩下我了。九五年我就去电视台报到，开始做节目，我说这次做什么？他说这次做的节目叫“脱口秀”，我还没有听说过这个词，不知道是什么意思，他就找来了很多录像带让我看，看的是美国的“温芙瑞”脱口秀，还有台湾赵少康的脱口秀。“温芙瑞”看不懂，因为它是英语的，我学的是俄语。但是我觉得这个现场很有意思，很热闹，每一句话都会有人在笑，现场的观众很放松，坐得姿势也是七扭八歪，这在我们中国电视上是看不到的。赵少康更精彩，他有辩论的味道，他总是不阴不阳地开一些玩笑，看上去也很新鲜。当时我们看的是《妙论大卖场》的《飙车一族》，在台湾一些孩子爱开摩托车，开得飞快，还把消声器弄掉，马达轰鸣地在街上乱闯。他们晚上还会到酒吧去喝酒，喝醉了酒摔酒瓶子，这成了一个社会问题。赵少康就把这些人请到演播室，和他们的家长、老师、同学一起聊天。

一个头发染得红红的孩子说，我看台湾立法院开会的时候，立法委员还扔鞋呢，还摔麦克风呢，为什么他们就可以呢？赵少康说他们是立法委员，所以他们可以。你要是立法委员，摔酒瓶子，就没有人说你了，底下观众就笑。我觉得他的玩笑开得很有意思，一直开到最顶层，很精彩。最后，赵少康就说，在节目结束之前，我们请到场的各位，每个人用一句话总结一下自己的内心感受。大家看

第一次主持节目，表情还算轻松，腿一直哆嗦。

早期的《实话实说》，每次节目结束都有一个用一句话总结内心的感受，就是从这儿照搬过来的。看完以后，我和时间探讨，我说有一个问题我不太明白，他们现场说的这些话，是彩排过的，还是有台本的，还是即兴的？他说他也不太清楚。然后我们就找人问，当时在这个方面，几乎没有什么明白人。我们看了看上下文的联系，包括现场大家的反映，可以看出确实是一个即兴节目，这就是我们努力的方向，也要作一个即兴的节目。从一开始时间就说，我们就照着这个即兴的色彩来做吧。我说我要做什么准备，他说你不用做什么准备，你平时说得不错，你上去说就行了。

然后我们就开始录样片，样片叫《拾金不昧　该不该回报》，后来这个节目播出了。录样片之前头一天晚上，我做了大量准备，摘抄了大概有20多张纸的名言警句，一直在背(笑)。第二天准备开始了，现场坐了80多位观众，各个工种都就位了。那个时候我们导播就过来说，我就喜欢你这个状态，你这人一点也不紧张，然后我说你看我脸不紧张，你再看看我的腿，一直在哆嗦(笑)。我当时就想，我现在上去说一段，如果要是成，就接着说，如果不行，当时就回家，打包回家，再也不干这个。然后我就冲上去了，时间马上喊停。我说一句话没有说，就停。他说这样上来不好，没气氛，你应该一上来就跟大家挥手，说大家好，然后全场观众鼓掌，谁离你近，你就跟谁握手。我说行，再来一遍。灯光大亮，我就跑了进来，说“你们好”，观众很给面子，都鼓掌，我就跟最近的握手，握完手往台上走，听身后有人说，这孙子是干什么的(大笑)。

上去以后，很紧张，看着大家，结结巴巴[illegible]。我说有一年美国大旱，有一个人家有很多孩子，没有吃的东西了，他的父亲笃信上帝，给上帝写了一封信。他说上帝啊，我们家没吃没喝，你能不能救助我一下，给我 100 美元。然后就把信寄出去了。在邮局分检的时候，工作人员一看是给上帝的信，没有地方投啊，他们就拆开看了，大家互相传阅，都被父亲的一片真诚感动。您看他这么信上帝，我们应该帮助他，大家就开始凑钱，凑了 80 多块钱，就这么多钱了，给他寄过去了。过了一个礼拜，这个父亲又寄来一封信，他说上帝呀，你真是我的上帝，我一到困难的时候，你就帮助我，你看我说需要钱，你就把钱给我寄来了。但是上帝，我提醒你一下，以后你再寄钱的时候，千万别让邮局那帮孙子知道，他们扣了 20 美元(笑)。

讲完了以后，全场就笑了。这一笑我就觉得有信心了，因为在这之前，我在中央台做过《曲苑杂坛》。《曲苑杂坛》大家都知道，就是相声、杂技、小品，当时我们最头疼的时候的就是没人笑。有一次我的印象特深，两位著名相声演员合说了一段新相声。我问，这段怎么样？他说一点问题没有，你就等好吧，观众非得乐晕过去。然后两个人就上去了，一片掌声，从头说到尾，底下鸦雀无声。下来他们就说，这些人一点幽默感也没有，你们哪里找的观众。当时我负责找观众，这以后就有了一些经验，再找观众不能找大学生、高中生，反正初中以上文化程度的人就不能找，这些人没有什么幽默感。相声、小品，一场一场就这么录，录得我非常伤心。到底是中国人没有幽默感，还是我们这帮腕没有幽默感？为什么大家会不笑呢？所以那天讲完一个笑话，大家都笑了，我一下子就找到自信了。

那天在现场还有一个演员叫牛振华，也会说相声，现在在演电影电视剧，他也笑得前仰后合，他的笑也给了我自信。稀里糊涂一场下来，我问他们，多长时间，过去大概有 20 多分钟了吧？他们说已经两个半小时了，我还行呀，但是有一条没有成功，就是准备的名言警句全都没有用上，都是说的大白话，家常话。然后我们就拿去给领导看，领导看的时候，从头到尾都没有笑，绷着。是不是我

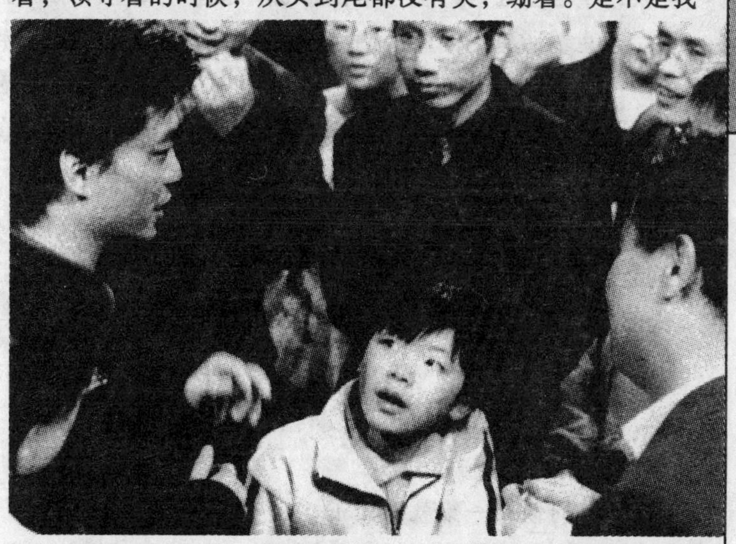

每次录完像，观众都要围上来继续讨论一番。

们做的不好?还是台领导没有幽默感?大家都拿不准。但是台长留了一条生路，他说你们再做两期吧。做完以后，又要去给领导审，我就把《曲苑杂坛》的经验拿出来，我说咱们组谁最爱笑，他们说关秀玲最爱笑，关秀玲一个笑话都讲不了，因为每次抖包袱之前，她自己先笑。我们决定让她坐在领导的左边。

还有一个叫乔艳琳的跟关秀玲有一拼，看着谁都可笑，整天笑容满面。我们决定让乔艳琳坐在领导的右边。审片的时候果然是这么安排，因为她们都看过，每当要抖包袱的地方，我还没有张嘴，那两个就笑声一片。领导就看看这个，看看那个，然后说倒回来我再看一遍(笑)。倒回来看一遍说，有这么可笑吗?但是那天领导确实笑了，笑了几次。后来他说再做两期吧。然后我们又做两期，这期做了《谁来保护消费者》，是王海打假的，还有《孩子与游戏》，这样一共做了5期节目。做《孩子与游戏》的时候，中心主任、部主任全都来了，都坐在楼上。录完了以后，我看所有的同事都阴沉着脸。我还觉得今天我发挥得不错，为什么他们阴沉着脸呢?我说出什么事了，他说领导们看了3分钟就全都走了，拂袖而去。我说这是什么意思?他们说那肯定是不满意，要不然为什么那么快就走了。我说你们就不能换一个角度想一想，他们看3分钟特别放心，这个节目做的这么好，不用我们盯着看吧。然后就拿去找评论部主任孙玉胜，孙玉胜决定放一集，听听观众的看法。

第一集播出后，两种反映都很极端

这时候第一集就推出了，在1996年的3月16日，我们推出了第一集叫《谁来保护消费者》，就是王海打假这期。孙玉胜非常重视，在这个节目播出那天，他自己专门到热线电话前去接听电话，看看观众的反映怎么样。后来他把我叫过去，他说今天电话很多，有一部分是谈你的主持，他说反应分成两种，有一种是非常激动，拿起电话他们就哭。说中国电视有希望了，终于出现了一个这样的主持人。我说另一部分观众呢?他说另一部分观众也是拿起电话就哭(笑)，他们说你们怎么找了这么一个人，咱中华就真没人了(笑)。孙玉胜说观众反映很极端，两种看法都很极端，我说那怎么办呢?他说再录几期试试吧。这样节目一口气播出了10期，应该说反映还不错。

10期以后，因为一个非常具体的原因，这个节目就停播了，停播了两个半月。有一天我正在家里，突然台里派人来找我，说，你赶紧回去，归队报到，因为那个时候我已经脱离电视台了，回去后，一直做到今天。我是《曲苑杂坛》出来的，我们编导更惨，是《综艺大观》出来的(笑)，据说早年还干过春节晚会。所以脑子里有很多文艺节目的框框，当时他说出场我们应该出得千变万化，主持人出场有握着手出场的，还有藏在高台上，等到节目一开始，灯光一亮，从台阶上疯子似地跑下来(笑)，这也是一种。还有坐在观众席里，大家也不知道谁是谁，节目一开始，你忽然从观众席站起来，你往台上走，大家就鼓掌。还有一种，你躲在景片后面，节目一开始，你从景片后面突然出来，给观众一个惊喜，反正都不是正常人干的事(笑)。

有的时候在开场之前，我还在想今天要谈什么，今天怎么谈，脑子里一直在想这件事。所以等到灯一大亮，我就从高处跑下来，跑到观众面前鞠了躬，说各位好，就忘了今天要讨论什么了，然后重来。慢慢我适应了，每次不管用哪种出场的方式，我都适应了。我发现新的问题来了，现场的观众非常紧张，嘉宾更紧张。一个个笑跟哭似的(大笑)。

节目做到快半年的时候，有一次开会我就提出这个问题，我说我们做的节目不像真正的谈话，当时我看温芙瑞

每次节目开始和结束我都要规规矩矩给大家鞠躬，感谢大家对节目的支持。

和赵少康的节目，所有的人非常自然，像日常的状态一样，我们是不是也要让观众揣着平常心，用日常的状态到电视台演播室来说话?

大家说这可能不容易，我们做了这么多年的电视节目，也没有这样的办法。我说，我们应该想办法，消除观众的紧张感。我决定第一件事改变主持人的出场方式，我们不要从高处走出来，也不要从观众席里冒出来，也不要从景片后面突然闪出来。大家说那怎么出来?我说一开始就

在沙发上坐着等着，嘉宾当时也是从四面八方冒出来，我说嘉宾也让他们坐在沙发上，而且最好在节目开始之前就让他们坐上去，这样慢慢就会熟悉场地。观众在现场也非常紧张，到电视台的演播室，手不知道往哪里放，不敢动。我们怎么让他们放松呢?我就想起过去我们拍《曲苑杂坛》的时候，为了让观众支持，总有一个人上来给大家鞠躬敬礼，说一些注意事项，讲一些笑话，这时候观众会放松。我说像这种方式，我们可以借鉴，采用热场方式，试一试。后来我准备很多笑话到那里去讲。比如，我说，前一段我和我一个朋友，到野外宿营，半夜醒来的时候，朋友突然问我，你现在有什么感想?我说你看满天的繁星，宇宙是多么浩渺啊，而我们作为一个人，是多么渺小啊。我那位朋友不说话，我问你现在有什么想法?他沉默一会儿说我们的帐篷好像被人偷走了(笑)。

讲完了观众也放松了，我们就决定开始录像。编导说现在很好，切换导演在上面喊，准备，开始，“5、4、3、2、1”，奏乐，这时候我一看刚才还在笑的观众全都哆嗦起来了。录完下来，我说你看我费那么大的劲给大家讲笑话，好不容易情绪放松下来了，你一个5、4、3、2、1又回去了。他说那怎么办，我不喊，各工种也不知道开始了。我说各工种没那么傻，就不能用别的方式让他们开始。那用什么方式呢?后来我说这样咱们俩约定一个方式，在开始之前，我就冲你挤眼睛，反正你在监视器里也能看见我挤眼睛。开始之前我就挤眼睛，挤着挤着眼睛他就说，你都挤多长时间了，还不开始，我说今天眼睛不是特别舒服(笑)，所以一直在挤。我说我们多设立几种方式，比如我手扶着椅子，就证明要开始了，或者我挠挠头证明要开始了，慢慢我们就确定下来了。现在如果大家到《实话实说》现场，我相信即便你是内行，你也不知道我们是什么时候开始拍摄的，因为我们已经有了几十种方式，就是让拍摄顺利开始。在观众没有察觉的情况下，自然而然地开始。

这个工作怎么做呢?就是用那种叫热场的方式，让观众放松，比如我先鞠躬，然后问大家为什么鞠得这么深，有人说真诚，我说，对，是真诚，但是真诚还不够，还有3条，你们接着猜。他们说你在日本留过学，我说你才在日本留过学(笑)，第二条不对。然后有一个愣头愣脑的举手，他说你可能是头重，我说你才头重(笑)。大家猜半天都猜不出来，我就告诉他们，我是因为代表很多人到这里来给你们鞠躬，所以才会鞠这么深。我现在让大家猜猜，我今天代表多少人给你们鞠躬，也就是说，今天晚上为了《实话实说》这台录像，有多少人在忙着。然后他们开始猜，有的人说100，有的人说500，有的人说2000，有的人说12，有的人说34。然后我告诉大家，我告诉你们正确答案，我代表多少人。我也不知道代表多少人，因为我们电视台的人数不好统计，你像一般干活各个岗位大概有25个人，但是吃盒饭的有140多个人，发奖金的时候有2200人，有一次台里说，有一个出国名额，谁想去，填一个表吧，填了10,000多张表。你说有多少人，别管有多少人，反正都欢迎各位到来，今天就鞠这么深的躬。

然后请大家关掉手机、BP机、股票机、电子宠物，凡是出声的都关掉，然后告诉大家，今天可以在这里自由发言，《实话实说》的现场是开放的，谁想发言的时候，就举手示意我，一举手我就会跑到你身边为你举话筒，话筒我为你举着，大家不要抢，因为抢话筒拍出来不好看。

可这样还不够，我还找一些不说话的，比如大家都

在节目现场，大屏幕是补充信息的一个好办法。

笑，他没有笑。我就会走到他身边问他，为什么大家都笑，你不笑?他说我还有点紧张。你为什么紧张?因为我第一次到中央电视台来，我是从贵州来的，一边说一边哆嗦。我说我特别理解你的心情，第一次去什么地方都会紧张，而且有这么多生人。然后我就开始给大家介绍，我把这些生人都介绍一遍，熟悉了就是你的朋友，这会儿你就不紧张了，挨个介绍我们的摄像，包括我们的摇臂。比如说拍摇臂的摄像，我会让他用机器给大家表演点头、鞠躬，还会移到观众的头顶，移准了砸下来，吓得观众到处跑。然后再介绍我们的乐队，在这个过程中，不断跟他们开玩笑，调节现场的气氛。然后我说现在还有没有人紧张，他们说没有人紧张了，我说现在就我紧张了(笑)，你们都不紧张，我就紧张了，现在大家陪着我再放松一次，我放松的方式非常特别，就是听音乐，我只要一听音乐就可以放松。这时候我们的乐队就开始演奏音乐，这时候我们现场所有的摄像、灯光、录音，包括切换都知道节目开始了。节目录像就是从这个时候开始的。现场的观众根本察觉不了，包括嘉宾，他也觉察不到节目是这个时候进行的。有一次录像录到大概快40分钟了，我站在观众席前，觉得有人拉我的衣服，回头一看是一个大娘，大娘指着表，我说什么意思?她说快点开始，我们呆会儿还要回去呢。我说好好好，我们抓紧，实际上当时已经录40多分钟了，都快录完了。

观众在这种自然的状态里，所以表现出来就不一样。我今天说完，大家找机会再看一下《实话实说》，看一下现场的观众，还有嘉宾，他们的那种表现，我觉得你就能体会出来。当然也有特别紧张的人，你怎么调整他也不放松。

我记得有一次，我们从四川请来一对嘉宾，谈的是关于足球和家庭的话题。坐着飞机来，花了很多钱。来以后马上要开始录像了，忽然妻子不行了，紧张得浑身发抖。我们看场地的大妈说，看这个嘉宾紧张了。她当机立断，拿两片安定给她吃了。原来这个女的是紧张，吃完药比较好，又紧张又困(笑)。当嘉宾肯定是不行了，当时她紧张得直掉眼泪，吃完药，头还难受。我说你不用这么难受，没有什么了不起。

我说这样吧，我现在给你两个选择，一个选择你到天安门去玩，我们专门有一个人陪你，开着车，你去看天安门，去看纪念碑，缅怀一下先烈。第二个选择，你现在坐在观众席里，你来看我们怎么录节目。如果你觉得非常放松，你想说话，你就举手示意我，如果你不想说话，我用我的人格担保，今天晚上我不会叫你。我说你想一想，她说我不想了，我有点困，我就坐在观众席里，我说行，你就坐在观众席里。她的丈夫非常沮丧，他说真对不起你们，我们花了你们这么多钱，到这里还不能帮你们录节目。我说没关系，这没有什么了不起，这样的事我们经常见到。然后我就说，现场观众有没有喜欢看足球的，请举起手来。我说有没有夫妻两个一起来的，这时候举手的人就少了，大概有十几个人。我说有没有因为这个事闹矛盾的，举得更少了，大概有三四对，于是选了一对出来坐到台上。节目开始录制。最后大家说，这一对挺精彩。

录完以后，在观众席里昏昏欲睡的妻子说，我觉得今天挺好。我说是不是很放松，她说是，我说以后你就不要这么紧张，也欢迎你下次和你丈夫再来参加我们的节目。然后他丈夫就一直垂着脸，老跟他妻子说，你等着，回家咱们再说。后来丈夫还跟我们制片说，这样吧，我们自己出一个人往返的机票，就算你们这次请了一个人。我说，你不用这么在意，没关系，就送他们走了。回去以后，据说妻子把丈夫揍了一顿(大笑)。

我们提出一个理念，在节目里体现人文关怀

我每次说到这儿，都觉得我们做得确实挺好，很有人情味，体现了人文关怀。每次听到这儿，观众也会心存疑虑，你们是怎么做到这样的?因为说句不好听的话，早年间电视台，并不是这样，那时毫无人情味。

我记得有一次我帮助做一个晚会的策划，时间特别长，大概做了将近4个月的时间。等到播出那天，我就很高兴，把我的父亲、母亲、哥哥、嫂子、姐姐、邻居全叫到电视前，我说你们看，这就是我做的晚会。然后他们就看，看看说，这个晚会不错呀，怎么证明这是你做的呢，

我说别着急等最后出字幕，你就知道，字幕上写着策划“崔永元”。等节目到最后时我心里怦怦直跳，一看上面写着策划“佚名”(笑)。我就赶紧打电话，导演说，我们上字幕给上错了。我觉得电视台怎么会是这样，太伤人心。第二天他主动给我打电话，说你来领一下稿费吧，我一想可能是这样，他们因为疏忽，连名字都没有打，可能在金钱上做补偿。我就背一个空书包去领稿费了(笑)。到那里以后，他们说，你干了4个月，扣完税，一共是197

我们的乐队。
左一键盘手刘思军。左二贝司手翟丰。右一吉它手侯嘟嘟。右二鼓手鲁宇非。

块钱，你点点吧，点点别少了，我说不用点了，就走了。

后来我打听了一下，我这还算好的。很多策划，包括北大的教授、社科院的学者、知名的作家，在他们给电视台做策划，或者出点子的时候，经常早晨9点钟来，说到11点半，主持会议的人就看看表说，“现在到中午，就不留大家了，谢谢你们，希望你们下次还支持我们工作”，就把大家都打发走了，就是这样。所以一段时间里，大家都知道干电视的人是一群没有文化的人，没有人文关怀的人，不知道尊重别人的人。

在九五年底、九六年初，开始筹备这个节目。我和时间几个人最早创办这个节目的时候，我们就提出一个理念，要在这个节目里实现真正的人文关怀，要让大家在这个地方感到平等，我们要为电视台争回一点面子。当时我们请了很多重量级的学者来参加这个节目的策划，有杨东平、郑也夫、周孝正、邝阳、陆建华，这些学者在文化界口碑都非常好，当时我们租一个四合院，院子里有葫芦架，阳光透过葫芦架，照在每个人身上，暖洋洋的，非常舒服。然后我们会挨个问，你喜欢喝什么茶?

我们专门请来一个保姆，每次保姆都会拿来一张纸，一支笔，问每个学者，你今天想吃点什么，然后记下来，照这样去采购，去给他们做，先在生活上让他们满足了、安逸了。第一次付他们酬劳的时候，我们拿一个信封，里面装厚厚一沓钱，漫不经心地说，这是“第一笔”。这些文化人因为受到尊重，有了极高的热情，觉得我们这帮人可交。那个时候，他们就开始跟我们敞开心扉谈起来。

我记得当时他们提了很多要求。郑也夫说，小崔我给你提一个要求，不要轻易接受采访，主持人不是明星，用不着包装，你就踏踏实实做你的节目，如果大家认可你，就是认可你的节目，而不是看你见报的频率有多高。你记住了没有?我说记住了，一定不要接受采访，我说肯定不接受，现在还没有人来采访我(笑)。因为那时候节目刚刚开始，后来做了大概两个月以后，有一天有一个人到这里敲我们的门，进来以后他就说，崔永元在吗?我说我就是。我是《人民日报》《大地》杂志的记者，我来采访你。我说不，你休想采访我。后来我看了看郑也夫没在，说咱们到旁边那个屋去谈吧(笑)。都是凡人，普通人，一般的人好像很难抵御这个诱惑。

但我觉得在电视台的主持人里，我是曝光率比较低的，见报比较少的，接受采访比较少的，参加活动比较少的。到现在为止，没有参加过一次商业活动。有一些商业活动很挣钱，有一次有一个商场开业，希望我能够去主持剪彩仪式，80,000块钱，大概15分钟，我当时说，绝对不会去的。我们有纪律，再说我们主持人怎么能参加这种商业活动，还有，你们是给现款吗?(大笑)想想这个诱惑确实非常大。来找的人特别多，因为我是党的新闻工作者，一次一次在抵御。从80,000块钱的剪彩费，到几百万块钱的广告费，我都抵挡住了。我觉得并不是我个人的素质有多高，而是一开始，我们就选择了这样的策划班底，一个由北京著名的社会学者、教育学者组成的强大阵容。他们策划节目和我们电视人策划节目最大的不同是，我们只想节目的样式，他们希望在节目中体现出他们的思想，在节目中体现他们做人,这一点到今天,《实话实说》还在受益。

过去我们和专家、学者合作，我们电视人没有摆出很好的姿态，所以人家也不愿意和我们合作，也不愿意把自己的家底抖落给我们。今天我们用我们自己的做法，赢得了他们的尊重，所以他们才肯这样用心来帮助我们。一直到现在，《实话实说》始终坚持这种好的传统。北京知名的教育学者、社会学者几乎都参加我们的节目策划，一是我们有专职的策划队伍，一个我们会针对一个具体的话题，请这方面的专家出谋划策。

我们在讲滇池水污染这个话题的时候，水污染研究所的所长，带着挂图到办公室给我们讲了一下午，让我们把整个水污染的情况和基本常识搞清楚。当我们了解这些基本知识以后，主持人上场是胸有成竹的。大家看主持人在场上很懂，很精通的样子，当专用名词出现的时候，都可以讲得通透，基础就在于前期的准备，前期的补课。我大学学的是新闻系，经常逃课，基础很差，这些知识都是做《实话实说》以后，一点一滴积累起来的。而且学者们的人文关怀慢慢渗透到节目组里，让组里每一个成员都有了这样一个共识。就会在你的节目里表现出来。所谓“人文关怀”，实际上它有两个境界，最高境界是你发自内心的，是你骨子里的，你会尊敬每一个人，不管他干什么，不管他的职位有多高，薪水有多少，不管他是什么生存环境，什么家族背景，你都会尊敬他。差一点的，就是你可以装出来，也算是个技巧吧，你可以装得很有人文关怀，你可以装得尊敬每一个人。

把灯爷、摄爷、录爷都变成朋友

最差的，也是目前电视队伍中普遍存在的。不知道人文关怀的重要性，连装都不装，就是真不尊敬别人，一直都是这样。我们在录像的时候，在门口有专人负责接送，我们给来宾准备了水，他们进来以后，我们给每个人安排座位，帮助他们放衣服，有人给他们指厕所在什么地方，可以说细致入微，力争让观众怀着很好的心态来参加《实话实说》节目。节目马上就要开始时，意外的事情发生了，有几个灯需要调整，这时候我们的灯光师傅就上来说，你、你、你，你们三个躲开，然后这三个观众就灰溜溜站到一边，我们的录音师傅又上来了，他给嘉宾装好话筒，说：说两句话，我们给你调一调，调音是录像前的准备，他回过头对全场观众说：安静，我们要调音了！

刚才灯光师傅得罪了3个人，然后录音师傅再接再励把所有人都得罪了，你说我们怎么录，没有办法录了。后来我就说，光我个人有点人文关怀精神不够，全组都有人文关怀精神还不够，怎么办呢?得让电视群体都有人文关怀精神。然后我们就专门和演播室的灯光师傅、录音师傅，各个工种的人谈心，我们有好事的时候，也不忘他们。过年过节，我们也给他们送些礼，有的时候周末我们约上他们一起去参加爬山比赛，保龄球比赛，都是我们出钱，反正就是宋江那一套。在这个过程中，要让大家看到我们怎么钟爱自己的节目，为它投入多少精力。我觉得人心都是肉长的，慢慢地我们所有工作人员都有了这种工作态度。

在《实话实说》现场，我是主持人，所以现场就归我管，有任何问题，都来找我，我来协调。比如灯光师傅神色慌张地过来说，实在对不起。从来没听过他们说对不起，过去灯光都叫“灯爷”，他说实在对不起，现在有两个灯有点问题，要调一下，你看怎么办?我说没事，你来调。然后我就说现在我给大家介绍一个重要的客人，我们的灯光师傅，大家全都鼓掌，我拿着话筒采访他。当时他脸通红，说话结结巴巴……我说好，现在我们看师傅调整灯光，底下几个朋友躲开一点，怕砸着你们，我们一起看。然后他就开始，从来没有这样自豪过，还拿着对讲机说，往上一点，往下一点。调了两分钟还没有调好，其实我觉得可以了，但是他那天精益求精。然后我说，咱们大家再鼓励鼓励灯光师傅，全场热烈鼓掌，我看师傅汗都下来了(笑)，这时候他调好了。大家又一次鼓掌，他下来后，直接喝酒去了(笑)。我要说明，我们的灯光马师傅一直是很好的，我说的是别人(笑)。

我觉得尊重是相互的，每个人心里都会有感受。这时候录音师傅上来了，说现在话筒都安好了，要调一下声音。我说就让观众说话，你来调，他说对。我说，你别管了，我来办。然后我就上去说，节目马上要开始了，以后大家都有可能到电视台来做嘉宾，现在我给你们传授一些到电视台录像的技巧，比如不要穿白色的衣服，白色的衣服会反光，还有不要穿小细点，或者小细条的衣服，这样它会模糊，我们的专业术语叫“跑条”。有的时候你们在家里看电视，看到人的衣服老乱闪，像雪花一样，有没有这样的感觉?他们说有。我说你们是不是以为电视坏了，他们说是。我说电视没坏，是衣服穿错了(笑)，以后你们来录像就不要穿这样的衣服。怎么调话筒呢?你们看我，现在调我的话筒，我是崔永元，我是崔永元，我是崔永元，我是崔永元，底下大爷都说我们知道了，我说知道也要说，调话筒就要这样。

有一次我家里的邻居第一次看我录像，一进来我正调话筒，邻居吓一跳说，哟，这孩子又犯病了(笑)。调话筒时这样反复说，就让调音师从容地把你的声音调好。现在我们就开始调音，从第一位嘉宾开始，从贾平凹先生，然后贾平凹说，我是贾平凹，我是贾平凹，我是贾平凹，说了4遍。我说你看贾先生病得比我还厉害。再试第二个，就在欢声笑语中，话筒调完了。观众始终处在放松的状态中。5年了，和我们合作的这些工种，都知道我们用什么样的方式来工作，他们都尽自己最大的努力来配合。

我们现在最怕的就是换演播室，因为中央台有很多演播室，今天换这个，明天换那个，每换一个演播室，总会出现新的情况。有的时候我们不愿意到其他台录像，也是这个原因。因为每个台的工作习惯都不一样，去了以后，大家的工作方式不同，就会对节目有很大影响。我印象很深，有一次我到一家电视台去录像，和嘉宾谈，正谈在兴头上，忽然有人说“停”。谁喊的?那边一个摄像说，我喊停。我说有什么事吗?他说我现在换一个机位。你换机位你换你的，你让我停干什么?他们从来不把主持人，不把请来的嘉宾，尤其不把请来的观众当回事。很多电视台都是这样工作的。换机位，我觉得这是技术问题，你们应该想办法克服困难，所以，电视也是团队工作，办好一个节目，每个工种都得有人文关怀的精神，否则一个人你就是神仙，也没有回天之力。

还有电视台的演播室对观众来说，总会有一种神秘感，我们应该想办法消除这种感觉。有一些电视从业人员喜欢夸大这种神秘，因为他觉得这样做，人家才会高看我们，所谓我会你不会。比如拿一张纸调白，观众看得莫名其妙，我们是不是可以在观众入场之前，把这个过程完成，如果没有完成，就采用别的方法，比如观众入场后，有人去调白，我就会叫住他，采访他们，问这是什么意思，他就给大家讲，调白有什么好处，他告诉大家。我问现在大家是不是听懂了，调白就可以把你们拍得更白(笑)，任何一个技术手段都要在演播室里把它化解掉，不要人为强化神秘感。

在录孩子节目的时候，尤其注意这一点。那时候我们会告诉所有的摄像，今天一秒钟都不要离开自己的岗位，要紧紧看护好自己的机器。因为我们请孩子到现场录节目，从来不给他们宣布规矩，我们告诉他们，今天就算是放假了，咱们就撒开玩，想干吗干吗。电线别摸，摸着可疼了(笑)，我小时候摸过。其它你们都可以随便。所以孩子到了《实话实说》，就像到了游乐园一样，非常高兴。

杨老师总结几句，整个话题就提升了

做《实话实说》这5年来，如果说最大的收获，就是我们知道了怎样和专家、学者合作，电视节目是怎么策划完成的，还有一个群体怎么树立人文关怀精神，这种人文关怀精神渗透到你的节目运作当中以后，怎么在你的节目中体现出来，包括怎么让所有的电视参与者达到最松弛的状态，从而完成还原真实的谈话空间。我觉得《实话实说》的建立，《实话实说》的出现，确立了电视策划在电视节目中重要的位置。现在我们组里专职的策划就有10个人，他们在全组地位最高，待遇也最高。

现在我们的总策划叫杨东平。因为工作的原因，郑也夫、邝阳、陆建华这些学者相继退出，或者加盟别的节目，只有杨东平留了下来。他是北京知名的社会学、教育学的专家，自己还在带研究生，写过一本畅销书叫《城市季风》，可能大家都看过。他现在工作再忙，我们录像的时候他也来现场看，每次录像结束的总结会他也要来参加，大家都觉得总策划在节目中发挥非常重要的作用。杨老师话不多，但是经常我们争论一个下午，他坐在那里听，最后总结几句，整个话题就提升了，我们就明确了谈话的方向。

目前全国有100多个谈话节目，到我们那里学习过的不下几十个。他们回去以后，大多都没有建立起自己的策划队伍。我也问过他们，你们是从我们这里学回去的，为什么这套学不去。他说他们觉得推行起来非常难，我们可能觉得策划很重要，但是台领导不觉得他重要，其他工种也不觉得他重要，总是在吃醋，弄得文化人心里不舒服，慢慢就退出了。当策划队伍退出你的节目以后，你的节目文化品位也退出了。所以大家现在看到的谈话节目，良莠不齐，有的非常差，我觉得甚至低级到超过美国的垃圾脱口秀，和我们电视人自己闭门造车有非常大的关系。

现在在中央电视台，我觉得我们的工作经验已经慢慢地受到重视和推广，有一些场合，也请我们去介绍经验。有的节目在开始筹备时，第一件事就是筹备自己的策划队伍。北京文化圈很大，有一些专家、学者，都是有名望的，非常难请。有时我们明知道某个话题，某个专家来谈最合适，但是他不愿意来。不愿意来，我们就做工作。有的学者，我们做了两年工作，终于请出来了。

做谈话节目有很多限制，尤其是话题上的限制，我们做不了尖锐的话题，所以要在文化内涵上多下一点工夫。虽然干了 5 年，总结起来，经验就是这么几条，虽然经验就是这么几条，做起来也会很难。不信大家可以在自己的工作中尝试尝试，试一下把灯爷、摄爷、录爷都变成你的朋友，让他们全身心为你的节目努力，看看这是多么巨大的工程。然后你再试一试，让所有的观众，各行各业的、各种阶层的、操着不同口音的，到了你的演播室，见到你都像亲人一样，跟你说话，都像朋友一样，这个工程完成起来很不容易。我觉得当你把这些都完成以后，你就可以享受做节目的乐趣了。

有问必答

我喜欢和大家交流，现在我想回答大家的问题，我们一起来做一点“学术交流”。哪位想问，就站起来随便问，我的名字叫崔永元，希望大家直呼其名，或者就喊老崔、小崔，别叫崔老师、崔先生，那样一下让我们拉开距离了，我等着大家的问题，没有就散会(笑)。

提问 A：我想问一下，你的这种机智和幽默是不是与生俱来的？

崔永元：有一点吧，天生有一点。但不是父母培养的，是父母压抑的结果(笑)。因为我母亲是家属委员会的委员，父亲是部队的政委，这两人全都严肃。我给你举一个例子严肃到什么程度。七四年的时候，我们家住的是平房，平房就可以养小动物，当时我养了 6 只猫，我父亲有一个习惯，晚上要让 6 只猫排着队在沙发上睡觉。所以我经常看见他拿着鸡毛掸子到处找猫，找着让猫回去，6 只猫很委屈地归队排在沙发上睡，到后半夜，他们也是四散而去。但是只要我父亲在场，他们一定要排成一队，他就是这么一个爱守规矩的人。所以当时我们家里没有什么玩笑的气氛，有的时候人家问我，你看你老在节目里开玩笑，你父母怎么看这个事，我说我不知道，我到今天都没有勇气跟他们一起坐在家里看我的节目，从来没有过。而且现在我回到家里，基本上也不开玩笑，看到他们很紧张，条件反射，像猫一样(笑)。所以大家觉得我爱开玩笑可能就是另一个极端吧，在家里的气氛太庄严了，出去以后就想放松一下自己。而且我从小学到高中，都是班里最好的学生，一开始是五好学生，后来改成三好学生，上了大学以后，第一个感觉没有人管了，撒开了，一下子就变成这样了。我小时候头发都是寸头，一上大学就到这儿(手指肩膀)了，当一个人内心觉得自由起来的时候，头发也是

长得飞快(笑)。

提问B：我想知道当初如果你做的不是谈话节目，而是音乐节目，或者娱乐节目，你会不会在里面充分发挥人文关怀的精神？

崔永元：我觉得我会，而且我不觉得文艺节目里面有人文关怀精神有什么不好，我甚至觉得，现在我们做晚会的很多做法实际上就是对观众的不尊重。比如大家都知道，做晚会的时候，提前要录一些掌声，有人会说现在大家听我的口号“鼓掌”，再使劲一点，再使劲一点。这种方法我不知道国外用不用，我觉得它可能有点中国特色。第一，可以不用，因为大家看到好东西自然而然会鼓掌，这个毫无疑问。第二，可笑的事情他就会笑，现在会出现非常奇怪的现象，我也参加过春节晚会，我觉得非常滑稽，可笑的地方大家鼓掌，这是为什么？可笑的地方就要笑。如果我们仔细想这件事，就会觉得那是不正常的事。你看我们每年春节晚会，掌声一年比一年热烈，但是观众骂得一年比一年厉害。所以掌声不是一个节目成功与否的标志，我们不用那么在意掌声，所以我觉得就是文艺节目、少儿节目、新闻节目、动物节目，都应该有人文关怀精神在里面，包括我们的采访，我看过一些新闻记者去采访，对采访对象说，你就把你刚才说的特别激动的那段再来一遍(笑)，对，就是这么去采访的。

我觉得即便你非要这样做不可，或者你非要大家鼓掌不可，你说句谢谢总应该吧，你说请大家这样总应该吧。但是就是这么一点简单的要求，我们的一些电视人都做不到。我觉得大家可以尝试尝试，在座的各位可能做过各种各样的节目，你们可以试一试，人文关怀是不是很重要。

提问 C：我想问一下，《实话实说》是因为你而出名，还是你因《实话实说》而出名？很多人都觉得《实话实说》是因为你而出名的？

崔永元：这个节目其他主持人也主持过，有胡健、甘琦、娄迺鸣、方宏进，加上我一共有 5 个人都主持过，我们可能还会推出新的主持人来主持这个节目。我觉得不在于谁主持，而在于用什么样的方式主持。刚才我在这儿讲了很多，我们怎么和有文化底蕴的学者合作，让自己的节目有文化内涵，有生命力，这是我们总结出来的制作好节目的方式。有了这种方式，这个节目就会有生命力，不管谁来主持，都会有他的特色。可能不是崔永元主持，大家在节目里看不到那么多调侃，看不到那么多玩笑。但是我倒觉得，这未必是《实话实说》的唯一方式。

所以我想，作为崔永元本人，他只是《实话实说》节目中一个符号，因为这个节目是由很多符号组成的，少了这一个符号，《实话实说》这个地球还会转，不要把自己想得那么了不起。

提问 D：你以前是做广播的，你广播做了那么多年，你自以为还很好。结果你离开广播到电视也大红大紫，我想问一下你觉得广播应该朝什么样的方向发展？

崔永元：我就说说我熟悉的广播。我干的广播是中央人民广播电台，在北京除了中央人民广播电台还有北京人民广播电台，如果广告费用能够判断一个广播电台经营的好坏，那我应该说，中央人民广播电台经营得非常差，因为他还不如北京人民广播电台。所以当时我就说过非常难听的话，就算中央人民广播电台的人什么本事都没有，你照着北京人民广播电台描也能描出这么多钱来，何况你的覆盖范围比它要广得多。为什么不行呢?如果你说是人的问题，那么现在《焦点访谈》很多主力记者都是中央人民广播电台来的，大家觉得干得还不错的两个电视节目主持

收视率常让人想起一首歌，“让我欢喜让我忧”。
你知道首播的收视率 4.48 是多少人在看吗?
你可以算一下：4.48 × 1094 万 = ?万人

人，我、白岩松都是从中央人民广播电台来的，敬一丹还在我们那里实习过，水均益和方宏进是听着广播长大的(笑)，每个人都跟广播有千丝万缕的联系，为什么广播自己就不行呢?我觉得完全是自身的原因，是管理的原因，是经营的原因，是观念放不开的原因。

最近，我也特别高兴地发现他们在变。比如我所在的《午间半小时》，现在更名叫《午间一小时》。他们开播的时候请我回去做过一次节目，我就把做电视节目的一些做法拿到广播电台的工作室，他们觉得非常新鲜，其实那

是一种做法，还是人文关怀的做法。比如当时现场有一个记者在照相，通过话筒就可以传出去，电视观众能看到，广播的听众就看不到，他们不知道这是什么声音。然后我就说你们现在听到“咔嚓、咔嚓”的声音，这个声音不是我在咳嗽，是有一个摄影师在照相，然后我就问，你叫什么名字，你为什么对这个话题感兴趣，当时我们是讨论城市色彩的话题，然后他就从他摄影的角度来谈，然后拿出他拍的很多照片，说复合色的灰色调拍出来多么好看，很合理的用进来了。讲完以后，我们请下一个听众来发言，摄影师就收他的照片，这个时候又出来“咔嚓咔嚓”的声音。然后我就说，大家不要以为崔永元主持得不好，有人退场了，现在是摄像师在收他那些宝贵的照片，然后听众就笑。还有每一个听众站起来发言，我都会说现在我形容一下，现在站起来发言的听众是胖胖的，穿以灰色调为主的复合色调的衣服，跟北京城市的色彩是一样的，你是专门为了讨论这个话题，穿这样的衣服吧？

也就是说，在演播室里，出现的每一种声音，或者听众的每一个表情，我们都知道，收音机前的听众听不到，所以你作为一个主持人，你有这个义务，要用你的眼睛替他观察到，用你的嘴告诉听众，描述给他。

还有更重要的一点，我觉得做广播的人，不太讲科学经营。什么叫科学经营？就是谁在听你的节目？他们有什么要求你知道不知道？你做没做过这样的调查？手里有没有这样的数据？当时《午间一小时》要改版的时候，请我们回去提意见，拿一个报告，题目叫《午间一小时》策划案，包括里面有什么内容，我们准备怎么做，零零散散讲完了。讲完以后，我提出一个问题，这份方案是怎么来的？他们说我们想的。你们为什么这么想？他们说，我们觉得这样听众可能会喜欢。你怎么知道?你可能连你爱人的意见都没有征求，你怎么知道听众会喜欢呢?我说你知道不知道在同一时段其他电台在播什么内容，知道了其他的电台在播什么内容，你就会有两条路选择，第一你和他们竞争，你就要做得比他们好。第二你可以避实就虚，他们做的你就不做，看看还有什么空档可以钻，这才叫科学经营。

现在《实话实说》的收视率每周都有，我们可以专门花钱到调查公司拿到更细的数据，细到每一分钟的收视变化。

提问 E：虽然你年纪比我大，但是为什么叫你“小崔”呢?不是不懂礼貌，因为我从电视上认识你只有不到 5 年的时间，可以说是一个小朋友。刚才你谈到主持人，谈到节目，也谈到人文关怀，我想问你两个问题，第一个问题，是主持人的风格决定栏目的定位，决定节目的定位，还是这个节目定位选择了具有这样风格的主持人呢?

第二个问题，你说的人文关怀，因为你看《实话实说》，观众都是面对面的，人文关怀比较好体现。但是类似新闻类的严肃节目来说，播音员没有面对观众，他面对的是电视机前的观众，他如何通过电视机把这种人文关怀传达给电视机外的观众?谢谢。

崔永元：第一个问题我们不去探讨它，花很多时间探讨也没有什么用，是自己的风格影响了节目，还是节目的风格影响了自己，探讨半天也还是挣那么多钱(笑)，没有什么意思。

第二个问题倒很有意思，不是谈话节目，不是和观众直接交流的节目，有没有人文关怀在里面。我觉得当然有。比如刚才我说记者的采访，你再来一遍，再说一遍就行了，你说这叫人文关怀吗?还有播音员，比如现在我看很多台的新闻播音员都在节目结束以后，说今天的新闻就到这里，再见。然后灯暗下来，播音员在那里做一些动作，有的是把耳机摘下来，有的是整理整理稿子，有的假装拿笔在上面写什么(笑)。就这样一个动作，我不知道播音员想过没有，这些动作里有什么含义，会对观众有什么影响，有没有人动过这个脑筋。我在日本去看久米宏的播音，他收稿子的动作总是不一样，到了什么程度，成了观众的收视点，观众等着看他今天怎么收，他有各种方式。比如说今天的新闻就到这里，然后他拿着稿子在半空中划一个弧线，再在桌上整理齐。收视率表示：一个弧线留住0.2%的观众。我印象更深的是他们有很多模型和道具在新闻中使用，这是我们没有的，我们都是用嘴说。我们说新换了市长，这个市长水平特别高，一下子让国民生产总值比去年同期提高了15.69%，老百姓有一个人能听得懂吗?谁知道这提高15.69%是高还是低，是多还是少?说不定上一任市长一下提高100%，实际上是这个市长不行，我觉得这都是对观众不负责的态度。我们只满足于把稿子流利念出来就完了。

我去的那天是普京当选的消息刚出来，非常快，马上前面出现红绸子，然后他就告诉观众，你们看，奇迹发生了，他把红绸子一打开，是苏联历代领导人的模型。他说这就是从列宁开始，苏联、俄罗斯在他们的领导下，一步一步前进。如果你们记不住的话，你们看好，他指着列宁，他说你看，没头发有头发，没头发有头发，没头发有头发。然后叶利钦有头发，到普京应该是没头发的，但是普京是有头发的，他说你看这是怎么回事?有两种可能，一是俄罗斯选错人了，他根本就不应该当总统。第二俄罗斯现在的事情太难，早晚他应该掉完头发(笑)。他用这种方式讲了新闻，我觉得这可能有点过分，人家俄罗斯会抗议的。但是他是这么一种思路，这么一种想法。我去新闻演播室看，有很多模型。比如新干线发生火车相撞事件，马上就可以给你演示，做得非常逼真，火车的模型、汽车的模型，就这么快。所有的数据 25.6%，37.7%，都是积木，都可以来回拆，来回搭，他们说，要让老太太都可以看清我们的新闻，都可以明白我们的新闻。

我们的新闻要让人家听懂，要让人家看懂，这就是人文关怀。我们做新闻、播新闻的时候，不去考虑受众的心情，也就是说观众在电视机前看新闻，看懂没看懂，听没听明白，跟我们无关，这叫什么人文关怀?

提问 F：……老崔，你干了 5 年了，是不是有些模式化了?

崔永元：我觉得你说的这种感觉确实是有，5 年了，习惯了。比如刚才我说的热场，你们听着很新鲜，觉得用这种方式调动观众很好，但是我用这样的方式，至少也用了两年了。我在说的时候，全场观众笑的直流眼泪，但是我们的工作人员没有一个人笑，都在那里自己做准备，因为他们都听了两年了，觉得没有什么新鲜的。但是变化也确实很难，我比较同意小白的说法，干时间长了以后，技巧丰富了，可能就会让激情降低。还是我刚才说的经验，有两条，第一发自内心爱这个事业，你永远有激情。第二条你不能做到发自内心，你就用技巧来控制它。有时候我也会想，这是我的一个饭碗。我也是上有老，下有小，不好好干，会很有危机感的。中央电视台动不动就来个“荣事达”主持人大赛，还不停地《挑战主持人》什么的，我一看这些人确实非常优秀。别的先不说,他们往那儿一站,那一排那个精气神,就是现在中央电视台的主持人不具备的。我觉得我们有很大的危机感,可能我们自己干得正起劲的时候,就会被别人一脚踢下来。不瞒你说,我们现在已经想后路了。但是干的这些天,还要想办法把它干好。

提问G:我有两个问题,第一个问题关于你自己,第二个问题是关于节目的。千万不要认为我对你有任何人身攻击,你说你自己是一个平民主持人,我也听过也是一个很著名的主持人说自己是一个平民主持人,他一坐在教室里,感觉与世界隔绝了。他说他愿意骑自行车,就问如果你的自行车丢了,还会去挤公共汽车吗?然后他就没有说话。说明他说的这些话可能都是表面的,自己没有做到,你是不是这样的人?

崔永元:平民心态,大家不要对它有表面的理解,说平民心态就是穷人心态,骑自行车都不行,最好是走着上班。平民心态不是这个意思,如果一个人没有平民心态,他就是去要饭,也会显得与众不同。如果你有平民心态,你腰缠万贯也不耽误你是平民,你开奔驰、宝马,你也是平民。那么,平民的特征是什么?我觉得是善良、真诚、与人沟通、与人为善、得饶人处且饶人、退一步海阔天空,这都是平民最本质的特色,而不是穿打补丁的衣服就是平民。大家对平民心态有一些格式化的理解,这跟我的理解是不一样的。我一直说我是"隔壁大妈的儿子",我说我是一个平民化的主持人,我现在从来不开车,我有一个司机专门给我开车(笑)。这不影响我当平民,没有问题。关键是我有这样的心态。我到一个地方,准备去吃海鲜,我刚要往里走,就有人叫我,老崔,我一回头,是一位大爷，他说跟你谈点事，谈谈心里的苦恼，天南海北地谈了一会儿，我说不行，我还得应酬去，好多人等着我。他说去吧。我觉得这个就是平民。当时我的朋友看到这一幕特别惊讶，他说你看他根本不把你当成外人，他见了你没有诚惶诚恐，你说大爷怎么找到这么好的感觉呢?可能他觉得我没有装腔作势。如果换一个装腔作势的人，你就穿比大爷还破的衣服，他也不一定叫你停下来跟你交交心，聊聊天，我理解的平民心态就是这么一个意思，不知道准确不准确。

提问 H：我想简单说一下，现在有很多主持人都是半路出来的，……有多年工作经验，这是否会成为挑选主持人的路数?

崔永元：我觉得选主持人这事，不能刻舟求剑。有几个主持人是半路出家的，所以大家都选半路出家的，我觉得这个思路挺幼稚的。我还听说，有从监狱出来的，后来成为先进工作者的，是不是咱们都上监狱呆一段儿(笑)。我觉得选择主持人，跟选拔人才，跟征兵，跟选厂长、书记，跟选先进工作者，选村长的途径完全一样，我们是学新闻、干新闻，现在能做主持人。广播学院播音与主持艺术专业也一样能培养出优秀的主持人来，像我们的张政，现在很快就是博士了，他可能将是中国广播电视主持人行业第一个博士，这就是我们的骄傲，我觉得很多途径都可以培养好的主持人。

生命中不能承受……

世界说起来很大，中国人说起来很多，但每个人迫切要处理和对付的，其实就是身边周围那么几个人，相互琢磨的也就那么几个人。

——刘震云《单位》

一、生命中不能承受之乐

生活比相声小品有趣，这是我的感受，举数例，以飨读者。

1. 在电台办节目时自我介绍："我姓崔，叫崔永元，'永'是'永远'的'永'，'元'是'元帅'的'元'"。过两天收到听众来信，'崔永帅收'，瞬间出一身冷汗，因为最初是想说，'元'是'元旦'的'元'。"

2. 一播音员念稿："下面请听《腊八舞曲》"，后经查实是《猎人舞曲》。

3. 在家休息接一电话，自称"雷姨"的老太太颤颤巍巍请我转告母亲明天下午开会。我转告时，母亲说："真糊涂，是我刚才通知的她。"

4. 父亲生日，我买来一"寿"字大蛋糕，全家享用。为烘托气氛，我提问："谁知道'寿'是什么意思？"快言快语的外甥抢先回答："寿就是老也死不了。"

5. 一妇女在公共汽车上指着人民英雄纪念碑问儿子："宝贝，这是什么？""这是天安门。""不对。"妇女忙转过儿子的身体指着喷水后面的天安门问："这是什么？""妈，我要喝水。"

6. 敬一丹的女儿王尔晴在班上组织辩论，题目是："古代人聪明还是现代人聪明？"

正方说：当然现代人聪明，古代人发射过卫星吗？坐过汽车吗？

反方说：现代人聪明，你上礼拜五为什么没完成数学作业？

正方说：你还没做值日呢！

于是，后半场改为人身攻击。

7. 在自由市场买黄瓜，小贩见到我高兴地问："你是《实话实说》的报幕员吧？"

8. 数年前，朋友去广西北海，司机问："你们从哪儿来？""北京。"司机又问："北京离首都不远吧？"朋友说："挨着。"

9. 新闻部主任时间组织开会，慷慨激昂地说："我觉得干电视关键要把握住两点，一是□□□□□□□□……"这时有人插话说："说得好，就应该这样，第二点？"时间怔了怔，思忖片刻："你先记住第一点吧。"

综上所述，证明一位学者说得确切："生活中不乏可笑之事，关键我们是否长了一双可笑的眼睛。"

二、生命中不能承受观众来信之乐

看《实话实说》的来信和看《焦点访谈》的来信是大不一样的，这一点你不看不知道。所以，每每看到"焦点"同仁无论男女在去食堂的路上依然眼神暗淡，脑门泛绿，就知道他们又被来信吓着了。

好吧，选几封来信让诸位一睹为快。

来信一：报名信 A

"听说你们下一个话题是左撇子的故事，我坚决要求参加，我是个地道的左撇子，因为我没有右手。"

能感到乐观吗？

来信二：报名信 B

“听说你们要讨论医患关系，我认为我理所当然该是嘉宾，因为我已经干了25年兽医了。”

能听出抱怨吗?

来信三：建议

“我是个中学生，最近看了你们的节目，《成长的烦恼》、《继母》等等，我非常不满足，我认为，你们应该讨论群众关心的重大的有意义的有轰动效应的社会热点话题，现在我就推荐一个话题：当班干部吃不吃亏?”

会觉得发蒙吗?

来信四：赞扬

“那天，你在节目中说，你敢保证，每一封观众来信你都看过，我听了特别感动，你真好，我敢肯定，你是中央电视台最能说大话的人。”

……是夸吗?

来信五：套磁

“亲爱的吉姆，第一次看你节目是在赈灾晚会上，你结结巴巴地念电话纪录，给我印象很深，别人告诉我，你是《实话实说》的主持人，于是，我便开始注意你了。有一天，忽然看见电视上播你的节目，我急忙凑过去看你的名字，只见上面写着：继母。

没办法了，只好叫你吉姆了。”

还有呢，没事儿到我们这儿看来信吧。

三、生命中不能承受之问

1. 不经历风雨，怎么见彩虹，你经常作婚姻家庭节目，是否与你在这方面经验丰富有关?

这首歌中还有一句：没有人能够随随便便成功。

2. 听说你去过许多地方，哪个城市最美?哪个民族的姑娘最漂亮?实话实说，别告诉我都美都漂亮。

最美的城市依次是上海、大连、厦门。最美的姑娘……你问的是化妆前的还是化妆后的?

3. 你们叫《实话实说》，真能实话实说吗?你敢吗?

我敢。

应该说，公众对"实话"二字有误解。以为顺耳的话才叫实话。实际不然，有些人的话你听上去像官话，套话，但他就是这样想的，是他内心真实的表述，这应该算是实话。

4. 报载你有意退出《实话实说》，你离开这里准备干什么呢?你认为你还能干什么?

离开这里，我到他们报社抗议去，因为他们砸了我的饭碗，我又没别的手艺。

5. 你打算什么时候退休?退休以后怎样发挥余热?

电视台规定男的60退休，我要是能评上高级职称，还可以接着干。真退休了，我不想发挥余热，一门心思打门球。

6. 浪子回头金不换，我决心重新做人，走正路，做正经生意，只是现在还缺30,000元本钱，您一定得帮助我，别让我又走邪路。

你要这么容易就走邪路，谁敢帮你呢?

7. 你们净说些没用的，反腐败为什么不说?

说的还少吗?反腐败就怕说说而已。顺便告诉大家，我们和《焦点访谈》、《新闻调查》是一家，同在新闻评论部。所以在选题上有所分工。

8. 崔老师，为什么你有时间写书，而我们学校请你参加主题班会请了3次你都不来?架子太大了吧。

因为写一本书可以印成很多份，而主题班会得一个一个去开。

9. 见到你们台长，你还那么贫吗?是不是也是堆起比平时还要多的笑脸，还是邻居大妈的儿子吗?

我以为我见到台长还是原汁原味，还是邻居大妈的儿子，可我的同事说我见到台长更像邻居大妈的孙子。

10. 崔大哥你上网吗?你闹过网恋吗?能告诉我你的OICQ号码吗?

我要知道你问的是什么，一定回答你。

11. 崔先生我每天都看您的节目，可为什么最近每周二重播我找不着了?

你看的是我们的节目吗?我们从没在每周二重播过，也不是天天都有。趁机告诉一下大家《实话实说》每周播出时间是：周日第一套21：15，周一第一套14：05，周日第四套15：30、22：05。

12. 崔永元你有偶像吗?你的偶像是谁?

有。田方、冯喆、金山、赵丹等20多位老演员。

13. 崔大哥我想用你的名字给我的小猫命名，可以吗?

可以。猫同意吗?

14. 我跟同学打赌，我说您把bō念成bē是故意的，这样才有个性，可同学说是您的口音问题，因为你们唐山都是这样的，可是您又怎么能通过普通话考试呢?

这的确是我的问题，我拚命在克服，并且通过了考试。

你可以仔细听听，我现在说 bō 挺像 bō 的，已经不太像 bē 了。

15. 我觉得您在节目里爱抢观众的话，您能不能改改?

不能，因为录制时间有限，播出时间更有限。

16. 你业余时间都干些什么?你泡吧吗?你逛街吗?你去电影院看电影吗?你去球场看球吗?

我逛街、看电影、也看球。从不泡吧和看哲学方面的书，这两样事经常让我头疼。

17. 崔主持，你不觉得你也掉进名人出书的俗套了吗?

是啊，他们名人出了那么多书，也该咱们老百姓出一本了。

18.《实话实说》有人说过去是“等着看”，现在是“挑着看”，还有人是“不想看”，您觉得问题出在哪?

我觉得双方都有问题。

先说这三种“看”法，你不觉得就像是从恋爱到结婚吗?谈恋爱都有股躁劲，缺乏理智。看对方都是怎么看怎么顺眼。结婚后低头不见抬头见，标准自然就高上去了。我的意思是说，观众也会喜新厌旧。

当然我们的问题也很大，因为不进步就意味着退步。观众的口味在提高，欣赏情趣也在提高，我们不一定跟得上他们前进的步伐。

19. 崔主持，是不是你们节目有一定名气了，有包袱了，所以不敢去开发新的方式?

应该说，存在着这种可能性。也许是潜意识在做怪。

电视栏目的名气不像体育冠军，你想保也无从下手。

但是，节目做了5年，可能有了一些模式和套路，这种操作的熟练让节目少了些激情和灵动。

我们正在吸收新鲜血液，相信观众能在节目中体会出他们的作用。

我们还缺人，如果你觉得可以胜任这个工作，马上和我们联系。

电话是：010—68513330

再说几句

泛言之，渐渐觉得人生也不过如此。这“不过如此”四个字我觉得醰醰有余味。变来变去，看来看去，总不出这几个花头。

——俞平伯《中年》

中国的书真多，从秦始皇开始就烧，还不见少。

老秦深知书多是因为写书的人多，就挖个坑，把写书的人顺手埋了。

后来，写书的人也不见少。

写书的好处不写不知道，那些只言片语凑出的观点与学问常常涌到嘴边却吐不出来，干着急，一旦喷到纸上成了文字横竖瞅着顺眼。

有了这个神清气爽的理由，难怪写书成了现代人的一种时尚。

我和老金在电台时是同一战壕战友。

等到发现她有股子狠劲，她已经是出版社的领导，我在电视台干活儿。

老金发现了电视传媒罩在我身上的光环，鼓动我说，写本书得了。那口气就象摄影师对被拍的人说，笑一笑。

笑一笑不难，笑好了不易。

老金于是来说服我，专捡北京刮沙尘暴的日子，每次上门都风尘仆仆。一见面她会递上一本新书，轻描淡写地说，你看，人家谁谁谁，又弄了一本。那口气，就象说有人吃了一碗干饭。

老金一气跑了 30 趟，还打了几十个电话。

我有些不知所措，你知道，一个苦孩子，忽然被人高看，心里肯定惶恐。

我去问我的朋友，写不写?他们说，写，别忘了把我们写进去。

我问我的同事，他们说，写吧，咱们组总是没东西送别人。

我问家人，他们说，你自己定。

有一阵，我逢人便问。

如果去做力不从心之事，哪怕只一个念头，就会被折磨得够呛。

等到动笔了，我选了大雪纷飞的东北，天冷，人能踏实点。

拿笔写时，才猛地意识到自己不过生存了短短38年，写不出来时，又感觉到，自己其实已经38岁了。

38，看上去像个吉利数字，实际上是个挺尴尬的年龄。

不算老，也不年轻，上午还感到心有余力，下午虚汗一发就觉得力不从心。不敢在老人面前充老，也不敢在年轻人面前装青春。买一件正装一试，真显岁月，想换件新潮的，又瞥见自己在镜中杂发丛生。

伏在桌上，朋友们出现在我的笔下，展示他们高峰状态的风采，定定神，才发现已经物是人非。

老白没了，亲属迁离加格达奇，大兴安岭少了户热气腾腾的人家。

老王东借西凑送儿子去阿根廷学踢球，欠了一屁股债，至今还不清。

郑渊洁被盗版盗得元气大伤，毅然选择蛰伏江湖，再不肯露面……

好歹写完了，揉揉眼，抻抻腰，一数字儿吓自己一跳，一字一句的，居然手写了20万字。

就剩下起名字了，我最喜欢的作家是钱钟书、阿城和刘震云。这书名要向他们靠。

于是有很多名字涌了出来：《围县城》、《写在人生的边边上》、《遍地疯》、《鸡毛一地》……

想想，太不正经，就又收起笑容，当真似地想。

这才想出了《不过如此》。

"泛言之，渐渐觉得人生也不过如此。这'不过如此'四个字我觉得醰醰有余味。变来变去，看来看去，总不出这几个花头。"

选自俞平伯先生的《中年》。

不过如此就是不过如此，想的念的都在里面了。

没有沮丧和看破红尘，因为论年龄和资历，这些还轮不上我。

但总有几分苦涩，有几分感悟，有几分甘苦，有几分无奈。

好了，书写完了，生活将重新开始。

感　谢

感谢阿城先生、刘震云先生为我作序，不怕诸位见笑，我最大的心愿是钱钟书、阿城、刘震云三位先生一起写序，有了他们的文字，读者会说，这本书值了。

现在阿城先生、刘震云先生的文字清清楚楚印在了上面，读者可能会说，我们和你一样心满意足；也可能会说，太重视了，用得着这么大动静吗？

无论如何，有了他们的序，这本书值得一读。

感谢贺友直、王弘力、戴敦邦、颜梅华、汪观清、韩敏、杨宏富、徐恒瑜、高云、卢禹光、罗希贤先生为我插图，其中几位画家年事已高，他们拿起画笔，是所有“连友”的福份。有了他们的作品，这本书不贵。

感谢我的朋友孙楠为我特制了稿纸，让我写起来顺手。

感谢我的朋友陈三友、金虎、张士杰、石向东在我写作期间不停地鼓励，让我有了写下去的勇气。

感谢朋友时新德不停地为我拍照，让我有了光彩照人的一面。

感谢我的妻子、女儿的理解与支持。

感谢出版社金丽红、黎波两位编辑 30 次以上的谈话，让我觉得不写就没法做人。

感谢《实话实说》的同事们，感谢海啸、宣明栋、丛鹏、赵一工、贾乐松为了我的书，他们有了许多额外的付出。

感谢大家。

图　在版编目(CIP)数据

不过如此/崔永元著. —北京：华艺出版社，2001.7

ISBN 7－80142－334－8

Ⅰ.不…　Ⅱ.崔…　Ⅲ.随笔-作品集-中国-当代

Ⅳ.I267.1

中国版本图书馆 CIP 数据核字（2001）第 042152 号

不过如此

崔永元著

华艺出版社出版发行

（北京朝内南小街前拐棒胡同一号

邮码 100010　电话 010－65286554）

北京师范大学印刷厂

850×1168　1/32　10.625 印张　240 千字

2001 年 7 月第一版　　2001 年 7 月第一次印刷

印数：0001－300000 册

ISBN 7-80142-334-8/Z·160　　定　价：19.00 元